QUÉBEC/AMÉRIQUE JEUNESSE

COLLECTION
CLiP

Dirigée par Anne-Marie Aubin

CONTES DE TYRANAËL

DE LA MÊME AUTEURE

Histoire de la Princesse et du Dragon,
   Montréal, Éditions Québec/Amérique
   Jeunesse, coll. Bilbo, 1990.

Ailleurs et au Japon, (nouvelles), Montréal,
   Éditions Québec/Amérique, 1990.

Chronique du Pays des Mères, Montréal,
   Éditions Québec/Amérique, 1992.
   **Grand Prix Logidec de la science-fiction et
   du fantastique québécois (Québec), 1993.
   Prix Création du Gala du livre
   (Saguenay — Lac-Saint-Jean), 1993.**

Les Contes de la Chatte rouge, Montréal,
   Éditions Québec/Amérique Jeunesse,
   coll. Clip, 1993.

CONTES DE TYRANAËL

CONTES   15

ÉLISABETH VONARBURG

QUÉBEC/AMÉRIQUE JEUNESSE

1380 A, rue de Coulomb
Boucherville, Québec J4B 7J4
(514) 655-6084

Données de catalogage avant publication (Canada)

Vonarburg, Elisabeth, 1947-
Les contes de Tyranaël
    (Collection Clip; 15)
    Pour adolescents.

    ISBN 2-89037-669-9
    I. Titre. II. Collection.

PS8593.053C66 1994   jC843' .54   C94-940246-X
PS9593.053C66 1994
PZ23.V66Co 1994

Les Éditions Québec/Amérique bénéficient du pro-
gramme de subvention globale du Conseil des Arts
du Canada.

Dépôt légal :
4e trimestre 1994
Bibliothèque nationale du Québec
Bibliothèque nationale du Canada

Diffusion :
Éditions françaises
1411, rue Ampère
Boucherville (Québec)
J4B 5Z5
(514) 641-0514
(514) 871-0111 - région métropolitaine
1-800-361-9635 - région extérieure
(514) 641-4893 - télécopieur

Montage : Cait Beattie
Révision linguistique : Marcelle Roy
Réimpression : août 1995

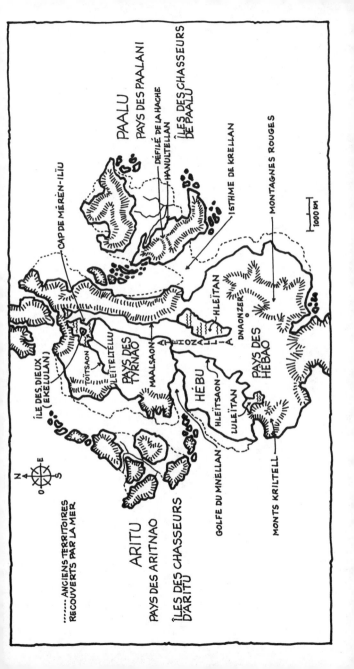

1

Ils vont me demander des histoires, ce soir, j'en suis sûre. Les jumelles ont essayé de commencer une partie de panodi mais ont bientôt renoncé. L'hiver tourbillonne en tempête autour de la maison, le feu ronfle dans le gros poêle, et pendant que nous sirotons notre thé d'après le repas, le silence a cette qualité que je connais bien : les adultes se disent qu'il va bientôt être temps d'envoyer les enfants se coucher, les enfants se demandent comment retarder l'heure fatidique. Moi, ça m'est égal. Je suis la grand-mère raconteuse, et je suis une couche-tard – ça ne me dérange pas.

Je les regarde en souriant, les enfants, mes petits-enfants. Maroussia et Stéloni, les aînées, des jumelles : toutes les deux treize Saisons, la même mère et le même père, le même visage en cœur aux grands yeux couleur de thé, mais

Maroussia est plus calme, plus attentive et Stéloni rit plus facilement. Leur petit frère Tikarek a quatre Saisons, et son père vient de le ramener d'une des invraisemblables cachettes qu'il a trouvées dans la maison avec ses complices, les petits de Pilip qui ont échappé à l'attention de leur mère. Depuis sa place habituelle, la niche creusée dans le demi-mur qui sépare la cuisine du dôme, Pilip appelle les petits vagabonds d'un aboiement bref, et ils se pressent contre elle avec une obéissance tardive, à la recherche des tétines vacantes. Leurs frères et sœurs moins aventureux dorment déjà contre le ventre au poil doré, pattes et queues emmêlées à l'abandon.

Le père de Tikarek par le sang, Mirat, n'est pas le même que celui des jumelles ; le petit a déjà des mèches pâles dans ses cheveux noirs, comme lui. Avec sa crinière bicolore, ses intenses yeux noirs, sa peau d'une belle patine brun-jaune et sa minceur compacte, Mirat a toutes les caractéristiques d'un natif de Paalu, mais pour moi il évoque toujours un banker*, animal pourtant inconnu de l'ancien continent de l'Est : le visage pointu à l'expression toujours un peu ironique, les larges oreilles bien dessinées, et surtout la vivacité bondissante, comme à l'affût. Pas un banker des plaines : les daru sont trop petits, trop ronds – trop tranquilles, aussi. Non, un hanat, les banki du Nord et des montagnes, plus mas-

---

* On trouvera à la fin du volume un lexique du vocabulaire hani utilisé.

sifs, presque aussi grands qu'un humain quand ils se dressent sur leurs pattes de derrière. Un peu comme Pilip, même si les caractéristiques daru se mélangent chez elle aux traits hanat : le poil doré, long et laineux, mais des taches brun foncé ou gris fer ici et là, des yeux jaunes et non verts, la queue préhensile, mais plus courte, et, aux mains adroites comme aux pieds agiles, d'impressionnantes griffes rétractiles…

Si Mirat le Paalao ressemble à un banker, le père des jumelles, Tinguem, est un Aritnao à la peau bronze doré par ailleurs assez typique de l'Ouest. Au jeu des ressemblances animales, ce serait un liadker, avec ses dents de devant un peu écartées, ses grands yeux d'un brun liquide, et surtout ses sourcils arqués dans un air de perpétuel étonnement ; il n'a évidemment pas sous les bras les membranes qui permettent aux écureuils volants de glisser d'un arbre à l'autre, mais comme eux il est curieux et gourmand.

Menthilee, ma fille, la mère des enfants, c'est autre chose. Comme moi et comme ses filles, elle a les cheveux rouge sombre, mais la peau dorée du Nord, avec, sous les sourcils noirs presque jointifs, les yeux violets qui indiquent son origine tyrnaë ; avec son long visage au nez fort et à la large bouche, et surtout à cause de sa grande taille, elle ressemble un peu à un tovker : c'est sa démarche posée mais toujours au bord de la danse, sa façon de rejeter ses cheveux en arrière d'un coup de tête sur le côté ; elle a toujours été

11

consciente de cette ressemblance : elle porte en boucles d'oreilles des coquilles de pyrnex dont la longue torsade pointue ressemble, en miniature, à la corne frontale des tovik…

Tikarek semble maintenant fasciné par l'aspect des banki : il les a rangés par couleur, du plus foncé au plus clair – les petits se sont laissé faire et n'ont pas bougé une fois mis en place, ce qui est une preuve supplémentaire de leurs bonnes relations avec Tikarek. L'alignement n'est pas très homogène : six des petits sont de purs hanat – diverses teintes de gris – trois autres sont des daru, du doré au brun, trois autres encore sont un mélange des deux comme Pilip elle-même, et il y a aussi le blanc, qui aurait pu être un albinos mais dont les yeux sont d'un vert franc, comme ceux de sa mère.

« Pourquoi ils ne sont pas tous pareils ? » demande Tika. Il hésitait entre le plus pâle des banki gris et le plus clair des dorés, comme voisins du blanc, et il choisit finalement le gris. « Pourquoi ils ne sont pas tous comme Pilip ? » ajoute-t-il en se retournant vers ses parents et ses sœurs, qui échangent des regards entendus – une crise de « pourquoi » en perspective. Qui va s'embarquer dans les mystères de la reproduction pour lui expliquer la diversité des petits ? Le fait que Pilip elle-même est une banker de race mêlée ne simplifie pas les choses…

« Parce que leur père est différent de Pilip », dit Maroussia en s'agenouillant près des petits alignés. « C'est un grand hanat gris foncé. »

L'enfant réfléchit un moment : « Bon, mais les dorés, alors, ils ont un autre père ? Et le blanc aussi ? »

Stéloni rejoint sa jumelle pour caresser les petits banki : « Non, Tika, ils ont tous le même père. »

Tikarek fronce les sourcils : « Mais non ! Regarde, nous. Toi et Roussia, vous êtes comme Père-Tinguem, et moi comme Père-Mirat... »

« Viens là, Tika », dit Mirat en posant sa tasse de thé fumant. L'enfant vient se hisser sur les genoux de son père. « Les humains et les animaux ne sont pas pareils, Tika. Pilip peut faire autant de petits qu'elle le veut, avec un père différent à chaque Saison pour tous ses petits, et ce père-là peut faire autant de petits qu'il le veut avec plusieurs mères-banki dans une même Saison. Mais Père-Tinguem, et moi, et toi quand tu seras grand, nous ne pouvons faire des enfants qu'une ou deux fois. Et c'est ainsi que Mère-Sariel a créé Maroussia et Stéloni avec Tinguem... » — il ébouriffe les cheveux noirs et blancs du garçon — « Et toi avec moi, Tikarek ! »

Tikarek se met à rire en ébouriffant à son tour les cheveux de son père, mais il redevient rapidement sérieux : « Si je voulais un petit frère, il faudrait un autre père, alors ? »

« Sans doute, dit Menthilee, mais même avec un autre père, je ne suis pas sûre que je pourrais. Les femmes ne sont pas comme Pilip non plus : c'est rare pour nous de faire plus de trois enfants dans toute notre vie. »

Tikarek retourne s'accroupir près des banki : ils s'impatientent et leur bel alignement commence à se défaire. Le silence revient dans la salle, avec seulement le crépitement du feu et le ronflement du vent.

« Mais pourquoi les gens ne sont pas comme les animaux ? » dit soudain Tikarek, obstiné.

Nous éclatons tous de rire.

« C'est une longue histoire », dit Tinguem en se tournant vers moi.

Je savais bien.

Je hoche la tête et le petit vient s'asseoir à mes pieds.

« Ceci est le conte de la Création tel qu'on le disait sur Aritu aux temps anciens, quand c'était encore un continent et non les "îles d'Aritu". Avant même que les premiers hardis mariniers n'aient suivi les courants et les vents jusque sur les longues côtes de Hébu... »

2

Le conte de la Création

Au commencement, après avoir créé Tyranaël, Hananai s'ennuyait un peu. Autour de la planète, elle avait placé la grosse lune, en lançant ensuite autour d'elle les deux petites qui tournent en sens inverse, et sur la planète elle s'était amusée à tasser ensemble tous les morceaux de terre d'un côté et tous les morceaux de mer de l'autre, de sorte qu'on pouvait se rendre à pied sec depuis tout en haut dans le Nord jusqu'à tout en bas dans le Sud... mais justement, il n'y avait personne pour s'y rendre, à pied ou autrement. Hananai était toute seule, et elle s'ennuyait. Elle avait besoin de compagnie. Le soleil et les lunes, les montagnes et l'océan, c'était bien, c'était vivant, ça changeait avec la pluie et le vent, mais ce n'était pas très causant. Hananai était immortelle, ce qui voulait dire qu'elle avait beaucoup de temps devant elle, mais aussi beaucoup de temps pour s'ennuyer. Et Hananai aurait bien aimé qu'il y ait quelqu'un pour lui donner un avis sur le monde qu'elle avait créé.

Elle décida donc de créer une autre sorte de vie, plus rapide que celle des montagnes ou des océans. Elle cueillit un tourbillon de sa substance qui flottait dans l'espace – un nuage d'étincelles brillantes, exactement comme celles qu'elle avait utilisées pour fabriquer le soleil – et elle souffla dessus pour créer des petites créatures minuscules, si minuscules qu'elles étaient presque invisibles. Comme Hananai n'avait pas envie d'avoir à en créer sans cesse de nouvelles, elle leur donna la faculté de se reproduire elles-mêmes : quand elles étaient assez mûres, elles se divisaient en deux, et chacune des deux se redivisait, et elles étaient toutes exactement pareilles. Hananai trouvait que c'était une façon efficace et économe de se reproduire. Elle laissa les petites créatures tomber dans l'océan, et les observa pendant quelques éternités.

Ce n'était pas vraiment passionnant. Elles nageaient de-ci de-là, en absorbant des particules de nourriture, et de temps en temps, hop ! elles se divisaient. Hananai se sentit venir comme un bâillement et, pour se distraire, elle s'en alla faire un tour au-delà du soleil. C'était un peu vide, aussi façonna-t-elle un autre soleil, avec *quatre* autres planètes autour, et aucune lune, pour changer. Mais l'équilibre de l'ensemble laissait à désirer, aussi créa-t-elle un autre soleil plus loin... et de proche en proche, elle créa ainsi toutes les étoiles que nous voyons dans le ciel, celles qui ont des planètes et celles qui n'en ont pas, et l'univers tout entier au-delà de ce que nous pouvons voir.

Quand elle eut ainsi créé notre univers, Hananai se retrouva là d'où elle était partie, c'est-à-dire aux environs de Tyranaël. Comme elle avait fait le tour, elle était partie du côté du jour, mais elle revenait du côté de la nuit. La planète brillait de mille feux : les créatures s'étaient reproduites en si grand nombre qu'elles occupaient maintenant non seulement l'océan mais toute la surface du Premier Continent, et en elles la lumière de Hananai étincelait plus fort que jamais. Comment avaient-elles fait pour devenir si nombreuses en si peu de temps ?

Curieuse – et se félicitant d'avoir créé des créatures aussi vivaces – Hananai en attrapa quelques-unes pour les examiner. Elles avaient inventé quelque chose de très astucieux, ces créatures : elles se mettaient à plusieurs pour constituer des créatures plus grosses ! Il y avait maintenant dans l'océan et sur la terre et jusque dans les plus hautes montagnes, des espèces nouvelles de créatures, certaines plus lentes, au point même de paraître immobiles, et que Hananai décida d'appeler des « plantes », et d'autres plus rapides qu'elle appela des « animaux ». Et leur nombre n'était pas si étonnant après tout, puisque toutes ces nouvelles créatures avaient, comme les premières, la capacité de se reproduire simplement en se divisant...

C'était une méthode tout à fait ingénieuse de création, jugea Hananai, et elle allait l'imiter. Car même si ces plantes et ces animaux étaient nombreux, ils n'étaient pas tellement plus bavards que les premières créatures, ou les montagnes, ou les rivières. Et Hananai avait encore plus envie qu'auparavant d'avoir l'opinion de quelqu'un sur le monde qu'elle avait créé et qui avait évolué d'une façon si inattendue !

Elle laissa donc traîner ses doigts dans les eaux peu profondes de l'océan, au ras des côtes du Premier Continent, et ramassa des centaines de petites créatures qui, à vrai dire, ne payaient pas de mine : elles étaient longues comme mon doigt, avaient des petites cornes sur la tête un peu comme les escargots, une longue queue mince qui traînait sur le sol et des pattes assez disproportionnées se terminant par des sortes de mains et de pieds palmés ; leurs seuls traits décoratifs, c'étaient leurs fines petites écailles dorées et leurs yeux ronds à la pupille verticale, dorés aussi, avec de beaux reflets verts.

Hananai les roula entre ses mains comme de la glaise et en façonna une seule créature beaucoup plus grande, aussi grande que toi, Tikarek, qu'elle appela Atiolai. Atiolai se tenait debout sur ses pattes de derrière, en équilibre sur sa queue, qui avait rétréci en longueur mais gagné en épaisseur. Comme toutes les autres créatures vivantes d'alors, Atiolai se reproduirait par division quand son temps serait venu. Mais, surtout, Atiolai pouvait parler. Et de fait, dès qu'elle fut tombée des mains de Hananai, elle commença à jacasser et ne s'arrêta pratiquement plus.

Au début, Hananai trouva fort divertissants les commentaires d'Atiolai sur la Création. Atiolai avait des idées très étranges. Par exemple, pour elle, le soleil était pondu par les montagnes à l'est du continent; elles le lançaient dans le ciel en direction de l'ouest; là, il finissait par retomber dans l'océan, où il s'éteignait. Le soleil du lendemain matin était un soleil tout neuf, pondu de frais par les montagnes-à-soleils. Et je ne vous dis pas ce qu'Atiolai pensait des trois lunes! Mais au bout d'un moment, elle commença à se reproduire et, à partir de là, ses idées devinrent de plus en plus bizarres. Comme elle donnait toujours naissance à des répliques exactes d'elle-même, elle en vint à penser que c'était de cette façon que Hananai l'avait créée, et qu'elle était donc elle-même la réplique de Hananai. Et pourtant, même si elle était bel et bien immortelle comme la Divinité, elle n'avait pas tous ses autres pouvoirs, par exemple être invisible, se déplacer aussi vite que la pensée ou se confondre avec n'importe quelle partie du monde...

Chaque fois que Hananai lui parlait depuis un rocher ou un arbre, ou que sa voix, tout simplement, lui provenait de l'air même, Atiolai était obligée de se rappeler les pouvoirs que la Divinité ne lui avait pas donnés. Elle en conçut donc une rancune et une jalousie extrêmes à l'égard de Hananai. Mais je devrais dire plutôt *les* Atiolai : car, toutes semblables à Atiolai, ses répliques faisaient les mêmes gestes qu'elle, pensaient les mêmes pensées... et, pour le plus grand ennui de Hananai, disaient les mêmes paroles ! Vous imaginez le vacarme...

Et s'il n'y avait eu que le vacarme ! Mais, jalouse de Hananai, Atiolai avait décidé de prouver qu'elle était son égale. Hananai faisait jaillir le feu du ciel ou des volcans ? Atiolai mit le feu à la forêt, qui brûla d'un bord à l'autre du Premier Continent ! La chaleur était si forte que la terre se craquela dans un bruit de tonnerre, et le continent éclata en trois morceaux qui partirent sur l'océan au gré des courants. Ainsi furent créés

Aritu à l'ouest et Paalu, à l'est, avec Hébu au milieu.

Hananai commença à repousser Paalu vers Hébu, mais elle avait à peine recollé l'isthme de Krellan qu'une autre bêtise d'Atiolai l'obligea à abandonner ses réparations : Atiolai avait construit un barrage au nord-est de la Hleïtsaon, la Grande Rivière – elle voulait imiter les marées, pour montrer à Hananai qu'elle aussi pouvait commander à l'eau. Hananai se hâta de creuser à l'eau un chemin vers l'ouest et l'océan, mais il était trop tard : dans le Nord le barrage avait créé le Leïteltellu, un lac immense comme une mer, et dont les eaux continuaient de monter. Il fallait employer les grands moyens : Hananai renversa le cours de la Hleïtsaon, qui se mit à couler du nord-est au sud-ouest au sortir du Leïteltellu. Or, au sud-ouest, il y avait la barrière des monts Kriltell, qui empêcherait l'eau de se rendre à l'océan. Et comme Hananai voyait bien qu'Atiolai était encore en train de construire un autre barrage sur une autre rivière, elle para au plus pressé : elle souleva les Kriltell, creusa du doigt un lit jusqu'à l'océan pour les eaux écumantes et replaça les montagnes par-dessus. Pendant ce temps, Atiolai avait barré le cours de la Maalsaon, qui court parallèle à la Grande Rivière depuis son berceau du Nord, et inondé la moitié des plaines centrales en créant le lac Hleïtan...

Après cela, Atiolai (et rappelez-vous que je veux dire *les* Atiolai) se reposa un peu, mais à peine Hananai avait-elle eu le temps de se demander ce qu'elle allait faire de cette ravageuse créature, qu'une nouvelle idée avait traversé l'esprit des Atiolai : puisque Hananai était unique, une seule Atiolai devait être la vraie, et celle-là seule devait exister. Et comme elles étaient toutes persuadées d'être la seule véritable Atiolai (non sans raison d'ailleurs, car enfin, toutes les répliques d'Atiolai *étaient* Atiolai), elles se mirent à se massacrer les unes les autres avec énergie. Ce qui, d'une certaine façon, aurait bien fait l'affaire de Hananai si, dans leurs combats féroces, elles n'avaient pas endommagé la forêt qui commençait à repousser timidement de ses cendres et détruit ainsi les animaux qui y revenaient.

Cette fois, c'en était trop pour Hananai. Elle saisit une Atiolai au hasard, la roula entre ses mains comme de la terre glaise et la rejeta dans l'eau de l'océan. Au même instant, toutes les autres Atiolai se trouvèrent précipitées dans l'océan – et elles y nagent encore aujourd'hui, sans mémoire et sans voix.

Hananai était bien déçue. Elle aurait pu s'occuper à reconstituer le Premier Continent, mais, au fond, Hébu n'était pas si mal ainsi, encadré comme il l'était par Aritu à l'ouest, et Paalu accroché à son isthme à l'est. Les lacs brillaient comme des bijoux sur la peau du grand continent : le triangle orangé du Leïteltellu au nord dans son collier de montagnes, la longue feuille verte du Hleïtan à l'est, à cheval sur l'équateur, appuyée aux longues collines, et au sud-ouest le Luleïtan au-dessus de l'océan, tout doré... Hananai sentait bien que remodeler des paysages n'était pas ce qu'elle désirait, de toute façon. Ce qu'elle désirait, c'était quelqu'un avec qui parler.

Sa première expérience avait mal tourné, mais après tout, l'idée de base était saine. Il fallait simplement ne pas refaire les mêmes erreurs. Le problème des Atiolai, c'était d'être toutes pareilles. Malgré leur nombre, elles étaient une seule et même créature : au fond, c'était une façon perverse d'être unique et, de toute évidence, cela leur était monté à la tête. Pour commencer, il faudrait essayer une créature qui ne soit pas immortelle : ainsi elle ne serait pas tentée de se croire pareille à Hananai ; et ensuite, une créature qui se reproduise de façon à assurer assez de diversité...

En réfléchissant à la question tout en se promenant le long de la Hleïtsaon, Hananai traversa un affluent de la Grande Rivière (devenue fleuve depuis qu'elle rejoignait souterrainement l'océan). C'étaient des eaux rouges, parce qu'elles transportaient de la boue en provenance des collines du golfe du Mnellan, à l'ouest, où la terre est rouge. Et après l'embouchure de cette rivière rouge, les eaux de la Hleïtsaon devenaient rouges aussi. Un peu plus loin, une autre rivière apportait à la Hleïtsaon les boues fertiles d'Atéhonallia, la plaine nourricière du centre : ses eaux jaunes se mélangeaient aux eaux rougies, leur conférant une belle couleur orange...

Et Hananai eut une idée : le rouge se combinait avec le jaune, et le fleuve, après cela, était différent, ni rouge ni jaune mais d'une couleur nouvelle ! Il avait aussi des qualités nouvelles : ses eaux étaient plus fertiles. Ce pouvait être la même chose pour les créatures vivantes. Si au lieu d'être la réplique d'une seule créature, les créatures nouvelles étaient le résultat de la *combinaison* de *deux* créatures, chacune apportant quelque chose de différent... les enfants seraient assez différents de leurs parents pour apporter à chaque génération un point de vue nouveau sur le monde, et ainsi Hananai ne s'ennuierait plus jamais !

Tout excitée, Hananai alla cueillir de nouveau des atiolai – certaines des bestioles, sorties des eaux peu profondes de l'océan, avaient pris l'habitude de se faire chauffer au soleil sur la rive. Elle les roula entre ses mains comme de la terre glaise et, de sa main droite, façonna une créature qu'elle appela Arrali. Puis, de sa main gauche, elle en façonna une autre qu'elle appela Irrila. Et elles étaient identiques, mais comme une personne et son reflet dans un miroir : quand Arrali leva le bras droit pour examiner sa main à la peau dorée et la membrane presque invisible qui reliait ses doigts, Irrila leva le bras gauche. Quand Irrila leva son pied gauche pour en examiner les membranes translucides, Arrali leva son pied droit...

Satisfaite, Hananai prit un peu de terre rouge et un peu de terre jaune et souffla dessus pour lui donner la vie. Puis elle roula chaque portion de terre en petites boules et en plaça un nombre égal de chaque couleur dans le ventre d'Arrali, les graines rouges en premier ; puis, en miroir, dans le ventre d'Irrila, les graines jaunes en premier. Ensuite, elle expliqua à Arrali comment ses graines rouges avaient besoin des graines jaunes d'Irrila, et à Irrila comment ses graines jaunes devaient se combiner avec les graines rouges d'Arrali.

« Mais... », dit Arrali en essayant de voir qui lui avait parlé, car Hananai, comme à son habitude, flottait invisible dans l'air, « ...comment ferons-nous pour les échanger ? »

Hananai n'y avait pas pensé ! Mais la solution était facile : il fallait simplement qu'Arrali et Irrila soient toutes deux munies d'un organe pour donner les graines et d'un organe pour les recevoir, et puissent toutes deux mélanger ensuite les graines dans leur ventre. Elles seraient ainsi à la fois un père et une mère, et chacune donnerait naissance à un enfant qui posséderait les graines additionnées de chacun des parents, lesquels enfants se recombineraient ensuite...

▲ ▲ ▲

Tika, qui s'agitait depuis un moment à mes pieds, n'y tient plus : « Mais comment ça marche ?... »

Tinguem et Menthilee échangent un regard amusé.

« Eh bien... », commence Mirat.

Menthilee secoue doucement la tête : « Expliquez-lui, les filles. »

Un peu plus tôt, Stéloni et Maroussia ont posé le jeu de panodi près de la niche de Pilip. Stéloni va ramasser les jetons de couleur, y cherche les numéros qu'elle veut, en tend deux à Maroussia et dépose le 1 rouge et le 1 jaune devant elle : « Je suis Arrali. »

« Je suis Irrila », dit Maroussia en déposant le 2 jaune et le 2 rouge devant elle, en face des jetons placés par Stéloni.

Tinguem s'accroupit près des jumelles : « Et je suis l'enfant d'Arrali. » Il enlève le 2 jaune à Maroussia, et le 1 rouge à Stéloni, les secoue dans sa main : « Maintenant, j'ai un 1 et un 2, du rouge et du jaune, les deux sortes de graines. Et si

26

tu es l'enfant d'Irrila, Tikarek, qu'est-ce que tu as ? »

Le petit hésite un moment, puis s'empare des jetons qui restent et les secoue dans sa main : « Un 2 et un 1, du jaune et du rouge ! »

« Tu as compris le principe, Tika », dit Mirat avec approbation, mais son esprit scientifique n'est pas satisfait. « C'est un peu plus compliqué que cela, quand même. Il faut se rappeler que, de même que les eaux du fleuve se mélangent pour donner une couleur nouvelle, les graines rouges et jaunes d'Arrali et d'Irrila se mélangeaient pour donner des graines nouvelles, disons de couleur orange, plus ou moins foncé, mais à chaque fois le mélange de graines de l'enfant d'Irrila était exactement complémentaire de celui de l'enfant d'Arrali et... »

« Continue l'histoire, Mère-Eïlai », dit Menthilee avec un sourire, en posant un doigt sur la bouche de Mirat.

▲   ▲   ▲

L'essentiel à savoir, c'est que l'idée de Hananai fonctionnait très bien : les Arranlaï – c'était le nom que s'étaient donné les nouvelles créatures – se combinèrent sans problème et créèrent ainsi des enfants qui se combinèrent à leur tour sans problème. Et chacun des enfants était différent de ses parents, avec un avis différent sur la Création de Hananai, ce qui garantissait pour longtemps des conversations intéressantes, quoique assez animées !

Pourtant, là encore, Hananai se rendit compte que les Arranlaï commençaient à entretenir des idées étranges. Comme à Atiolai, la Divinité leur avait dit qu'elle les avait créées ; comme Atiolai, elles n'avaient jamais vu rien d'autre que sa lumière, son trait le plus visible lorsqu'elle se promène dans le monde ; mais elles s'étaient persuadées que derrière cette lumière il y avait une personne munie d'un corps, comme elles. Bref, elles étaient sûres que Hananai les avait créées à sa propre image et, pour cette raison, elles avaient tendance à se considérer comme supérieures au reste de la création. Et elles aussi, elles en voulaient à Hananai de ne pas leur avoir donné les pouvoirs que, de toute évidence, la Divinité possédait – en commençant par l'immortalité ! De surcroît, comme chacune d'elles pouvait faire des enfants, elles se reproduisaient très, très vite. Leur nombre augmentait à une vitesse vertigineuse, il leur fallait de plus en plus d'espace, de plus en plus de nourriture, et la forêt qui avait repoussé sur les cendres de la Première Forêt commençait à disparaître, comme les animaux qui étaient revenus y vivre !

Hananai préféra prendre les devants et ne pas attendre que les Arranlaï se mettent à créer peut-être d'autres lacs ou, qui sait, à réduire des montagnes en poudre : elle souffla un grand coup sur Tyranaël, et les Arranlaï se retrouvèrent dans l'océan et les lacs, où elles se noyèrent presque toutes, car Hananai était vraiment fâchée.

Pourtant, Hananai savait bien qu'elle allait essayer une troisième fois de créer des êtres intelligents – elle avait pris goût aux histoires que ses créatures inventaient et qui la surprenaient toujours. Mais cette fois, elle prit vraiment, vraiment, le temps de bien réfléchir. Elle avait voulu trop bien faire avec les Arranlaï : après tout, ces créatures n'avaient pas besoin d'être *chacune* capable de faire un enfant. Il suffisait que chacun des parents ait *la moitié* de ce qui était nécessaire, au lieu d'avoir tout en double...

Hananai cueillit une poignée d'atiolai dans les plaines de Roshnallia – car entre-temps, quelques-unes des bestioles avaient abandonné les rives de l'océan et s'étaient aventurées en pleine terre – et elle en façonna deux créatures qui ressemblaient aux Arranlaï, mais en plus grand. À la première, créée de sa main gauche, et qu'elle appela Massali, elle ne donna que les graines jaunes, et l'organe qui sert à les recevoir ; à l'autre, Massanlaï, créée de sa main droite, elle ne donna que les graines rouges, et l'organe qui sert à les transmettre. Par ailleurs, elle leur en donna beaucoup moins, de ces graines : elles feraient moins d'enfants, mais les autres animaux et les plantes s'en porteraient sans doute mieux ! Cependant, comme elle n'aimait pas gaspiller les bonnes choses, elle souffla les graines rouges qui lui restaient sur Aritu, où elles devinrent le landraas aux longs épis dont on fait le pain rouge, et les autres sur Paalu, pour donner naissance au gaad dont on fait...

« ... le pain jaune ! » s'écrie Tikarek.

« Sauf que la mie blanchit à la cuisson », remarque Mirat, qui s'accommode toujours mal des à-peu-près des contes.

« Mais la croûte est jaune doré », dit Menthilee, indulgente.

Quand elle en eut terminé avec les deux créatures – Massali la femme, Massanlaï l'homme, les deux premiers Hani – Hananai les réveilla, leur apprit leur nom et les lâcha sur Tyranaël, mais avec une certaine inquiétude.

Elle avait raison : elle les entendit bientôt se disputer. Massanlaï était persuadé d'être le seul à avoir été créé à l'image de Hananai, le Dieu Créateur, et exigeait que Massali lui rende hommage. Massali, de son côté, sûre que Hananai était une Déesse et qu'elle-même en était l'image, exigeait le respect de Massanlaï.

Mais tous les deux s'accordaient pour reprocher à Hananai de ne pas leur avoir donné l'immortalité et tout le reste de ses pouvoirs.

Hananai n'en croyait pas ses oreilles. « Bien sûr que je vous ai créés à mon image, tout comme j'ai créé le soleil, les lunes, la terre et toute la vie qui vous entoure ! Je vous ai créés, toi Massali la femme, et toi Massanlaï l'homme, à mon image, car je suis la femme et l'homme, de même que je suis tous les animaux qui courent et volent et nagent, de même que je suis le soleil et la montagne, l'océan et la lune, le feu, la prairie, l'arbre, la pierre... Quant à l'immortalité, vous n'êtes ni moins ni plus immortels que tous les animaux qui courent, volent ou nagent, ni plus ni moins mortels que les arbres et les plantes, le soleil, l'océan, les montagnes ou la lune. Vous dansez ma danse en même temps que moi, et vous deviendrez arbre ou poisson, montagne ou rivière en suivant le cycle de la vie et de la mort, vous, vos enfants, et les enfants de vos enfants, jusqu'à devenir invisibles et me rejoindre dans ma lumière. De quoi vous plaignez-vous, sinon de votre propre aveuglement ? »

Et elle allait effacer les Hani à leur tour, quand une pensée retint son geste. Comme à Atiolai, comme aux Arranlaï, elle avait dit aux Hani qu'elle les avait créés – et eux avaient imaginé le reste. C'était leur savoir qui les aveuglait, un savoir qu'ils n'avaient pas gagné par eux-mêmes, mais qu'elle leur avait imposé. Peut-être devrait-elle changer cela aussi ? Au lieu d'effacer les Hani, elle effaça donc seulement son souvenir de leur mémoire. Désormais, ils ne sauraient plus qui les avait créés. Ils ne sauraient même plus que Hananai existait et qu'elle avait créé l'univers.

▲ ▲ ▲

Tika, qui s'agitait encore depuis un moment, se lève soudain pour venir s'appuyer sur mes genoux : « Tu as dit "elle" depuis le début pour Hananai, Grand-mère Eïlai ! Tu dis "la Divinité" ! C'est seulement une "elle", non ? »

« C'est une "elle", et c'est un "il", et c'est tout le reste, Tika. »

« Mais tu dis "elle" ! » insiste-t-il avec entêtement.

« Si c'était moi qui racontais l'histoire, intervient Mirat, je dirais "il", et si c'était ta mère-Menthilee, elle utiliserait le pronom universel, "laoni", qui vaut pour les femmes comme pour les hommes. Écoute la fin de l'histoire, et tu comprendras peut-être mieux. »

Avec une moue, Tikarek se rassied, et je peux reprendre.

▲ ▲ ▲

Hananai voulait continuer à se promener dans le monde en écoutant ce que les Hani avaient à en dire – surtout maintenant qu'ils n'étaient plus limités dans leurs commentaires par le fait de connaître son existence ! Elle prenait soin à présent de voyager sous une forme humaine, ou animale, mais en tout cas bien visible. Et pourtant, elle se rendit compte que de nombreux Hani semblaient la reconnaître, ou du moins se douter qu'elle n'était pas ce qu'elle semblait être : c'était son étincelle, en eux, qui se souvenait de la lumière de Hananai... Bientôt, plusieurs d'entre eux se mirent à répandre l'idée d'une divinité qui aurait créé l'univers, ainsi que les humains. Hananai, un peu inquiète, suivit les développements de cette religion. Cela allait-il tourner de nouveau comme avec les deux premiers Hani, Massali et Massanlaï ?

Elle décida, là encore, de prendre les devants. Elle emprunta donc un peu de la substance de chacune des créatures vivantes, qui était sa propre substance à elle transformée dans le temps et l'espace, et elle emprunta un peu de la substance des étoiles et des planètes, qui étaient sa propre substance aussi, transformée dans l'espace et le temps. Elle s'en façonna un masque lumineux, dépourvu de tout trait reconnaissable. Désormais, quand elle se promènerait parmi les Hani, elle porterait ce masque. Parmi ceux qui la verraient, chacun et chacune seraient libres de projeter sa propre image sur le masque et de penser que Hananai était une Déesse, ou un Dieu. Mais tous verraient le masque, tous sauraient que c'est un masque, tous seraient obligés de se demander pourquoi Hananai avait choisi de se masquer, et ce qu'il y avait réellement derrière le masque. Et quelques-uns, de temps en temps, se rendraient compte peut-être que le masque de Hananai, c'est l'univers, et que l'univers, c'est Hananai.

▲   ▲   ▲

« Et c'est pour cela, mon Tika, dit Mirat, que moi je dis "il" en parlant de Hananai. Je préfère penser à Hananai comme à mon père. Tinguem ou ta grand-mère Eïlai préfèrent voir une mère en Hananai et disent "elle". Et Menthilee dit "laoni", parce qu'elle voit mieux le masque que nous. Mais tous ensemble, nous nous rappelons les uns aux autres que Hananai est toujours davantage que ce que nous désirons en penser. »

Le silence se fait, tandis que le pot de thé passe de nouveau à la ronde. Tika, l'air songeur, joue avec les jetons de panodi, et l'ivoire mince passe en cliquetant d'une de ses mains à l'autre. « Je préfère "elle", déclare-t-il enfin, Hananai, c'est plus comme une maman. »

Je fais mine de protester : « Eh ! dis donc…
Mirat vient de t'expliquer pourquoi il a fallu une
mère et un père pour te créer ! »

Tika réfléchit de nouveau, l'air embarrassé,
puis son visage s'illumine : « Un jour je dirai
"elle", et l'autre jour, je dirai "il". Et "laoni" le
troisième jour », ajoute-t-il en hâte, avec un
regard circulaire dans la cuisine, y cherchant peut-
être une silhouette masquée.

3

Tinguem se lève pour refaire un pot de thé, tandis que les autres songent, les yeux perdus dans le rougeoiement des braises. Tikarek suce son pouce dans les bras de Menthilee, en espérant sans doute que tout le monde a oublié l'heure du coucher. Pilip dort, avec les quelques petits qui l'ont rejointe dans le creux du mur ; les autres explorent la cuisine, yeux curieux et doigts agiles.

« Grand-mère Eïlai a raconté la version d'Aritu. Il y a un autre conte, ici, dans le Nord, où c'est Liani-Alinoth qui crée les humains, dit Menthilee d'une voix rêveuse, et elle les crée par inadvertance. Elle est endormie au bord du Leïteltellu, les jambes dans l'eau, et une créature aquatique plus audacieuse que les autres lui grimpe dessus et se retrouve dans sa main, à l'air libre, où elle finit par suffoquer en plein soleil. Ses cris piteux éveillent Liani-Alinoth, qui hésite entre la colère, parce que la créature est sortie de son élément, l'admiration, parce que la créature est sortie de son élément, et la pitié, parce que la créature est sortie de son élément. En définitive, c'est la pitié qui l'emporte, et Liani-Alinoth souffle sur la créature, pour lui permettre de respirer dans l'air, et fait pousser un tingai dans sa main, pour la protéger du soleil. Et c'est ainsi que Liani-Alinoth, qui ne savait pas quelle sorte de déesse elle voulait être, devient la déesse des eaux et des forêts, ce que Hananai lui avait proposé d'être au début et qu'elle avait refusé. »

« Mais la créature est une créature aquatique dans ce conte-là aussi, remarque Mirat, tout comme dans les plus anciens contes paalani. C'est de ces créatures aquatiques que nous descendons, même si nous n'avons plus de membranes entre les doigts. Il y a toujours un petit peu de vrai dans les histoires. »

Menthilee lui sourit avec un indulgent reproche : « Il y a toujours beaucoup de vrai dans les histoires, Mirat. »

Il lui sourit en retour, ironique mais affectueux : « C'est bien d'une Tyrnaë de penser ainsi ! »

Tika suit l'échange, déconcerté, et ses sœurs lui expliquent doctement : la civilisation tyrnaë est la plus ancienne de toute la planète, c'est autour du Leïteltellu, dans cette oasis chaude et fertile entretenue par le volcanisme souterrain du Nord que sont apparues les premières créatures conscientes. *Les contes des Tyrnao remontent à l'aube des temps, plus de quinze mille Saisons. Les Aritnai étaient encore des bandes de nomades qui se nourrissaient de fruits et de noix, comme les Hébao et les Paalani, quand a été bâtie la première ville tyrnaë, Ansaalion, la Ville Flottante.*

Je vois les yeux de Tika s'arrondir encore davantage et je devine ce qu'il pense. Il m'en a fallu du temps, quand j'étais petite, pour comprendre que, non, les édifices de pierre dorée ne flottent pas sur l'eau, mais qu'il y a des îles constituées de plantes aux racines entrelacées en couches épaisses, sur plusieurs lani de profondeur, et nombre de bâtiments faits de matériaux légers sont construits sur ces radeaux naturels amarrés par les humains dans les eaux du lac.

« ... et Mère-Menthilee est née dans un petit village au nord d'Ansaalion, sur le cap de Mérèn-Ilïu, juste en face d'Ekélulan, l'île des Dieux... » conclut Maroussia.

« Qu'on devrait appeler Aaldzarlu, l'île des Dzarlit », remarque Stéloni.

Je les vois venir... Il y a une autre histoire à la clé. Mais apparemment, leur mère-Menthilee ne se doute de rien : « C'est parce que les dzarlit ne sont pas des déesses ni des dieux », dit-elle avec gravité, comme toujours lorsqu'on aborde ces sujets, « Hananai est la seule divinité. Ailleurs que dans le Nord, tout le monde appelle l'île "île des Dieux" parce que le nom hébaë a prévalu sur tout le continent, même après la conquête par les

Paalani. Mais les dzarlit sont simplement des aspects ponctuels de la Divinité, créés pour s'occuper de telle ou telle partie de sa création — forêt, montagne, océan... — et pour être des intermédiaires entre elle et les humains, parce que ceux-ci trouvaient plus simple, au début, dans leur faiblesse de créature limitée, de s'adresser à une personne bien définie. Chez les Hébao, les dzarlit ont été créés après les humains, et leur nom signifie "gardiens". Ils ressemblent plus aux humains qu'à Hananai, bien qu'ils soient immortels : ils sont femelles ou mâles, et leurs pouvoirs ne sont pas sans limites ; lorsqu'ils ont des problèmes, ils doivent faire appel à Hananai. »

Les jumelles ne vont pas se laisser ainsi distraire de leur but secret : « Mais pour les anciens Tyrnao, les dzarlit ont été créés avant les humains. C'est pour ça que Hananai n'a pas créé directement les humains à partir de sa substance pure, celle du Commencement. Elle les a créés à partir de sa substance déjà transformée par la danse du temps et de l'espace : il ne lui restait plus de la substance du Commencement, elle l'avait mise dans les dzarlit. Et elle ne les a pas créés pour servir d'intermédiaires ou de Gardiens, mais à cause d'un pari qu'elle avait fait avec elle-même. »

Menthilee sourit avec approbation : « C'est vrai. Pour nous, les Tyrnao, Hananai est la Divinité-Qui-Joue, et c'est pour jouer qu'elle a créé les humains, lorsqu'elle a vu que les dzarlit ne voulaient pas toujours lui servir de partenaires. Les humains non plus, d'ailleurs, mais cela elle l'a appris plus tard, et elle s'y est résignée…

« Elle s'y était déjà reprise à trois fois avant de les créer, remarque Maroussia, c'était assez tricher avec les règles qu'elle s'était fixées… »

« Tu exagères, interrompt Stéloni, les règles du jeu de Hananai, il me semble qu'on en connaît quand même quelques-unes… »

Mirat hoche la tête : « C'est vrai. Si on lâche une pierre, elle tombe, mais un ballon rempli d'air chaud monte, par exemple. Nous en savons assez pour avoir fabriqué des outils très compliqués, comme les machines à vapeur dont je m'occupe au village. Et nous en savons assez sur le fonctionnement des êtres vivants pour avoir des médecins… Bref, il y a des causes et des conséquences, et pour les connaître, il suffit d'observer avec attention ce qui nous entoure… »

« Oui, mais on ne peut pas tout voir », réplique Menthilee. C'est une de leurs discussions préférées ; les jumelles échangent un regard résigné…

« Nos yeux ont des limites, même avec les instruments que nous avons fabriqués pour voir plus loin ou plus petit… »

« Mais rien ne nous permet de dire que les mêmes règles ne régissent pas le domaine du trop petit ou du trop loin pour être visible. »

« Si on en croit les histoires des Hébao », se dépêche d'intervenir Maroussia avant que les adultes n'aient dérivé trop loin, « Hananai a créé un dzarlit exprès pour ça, Iptit au Chapeau Vert. »

Tikarek, qui commençait à somnoler, se réveille bien entendu au mot « histoire » : « Oh, raconte ! »

Les jumelles se tournent vers moi avec un bel ensemble : « Grand-mère Eïlai la raconte beaucoup mieux ! »

Menthilee se rend compte du manège des jumelles et se met à rire : « Raconte-leur la version hébaë, va, mère-Eïlai, elle est plus courte. » Puis, aux enfants : « Et les dzarlit y sont appelés déesses et dieux, mais rappelez-vous ce que je vous ai dit là-dessus. »

J'attends que Mirat aille remettre des bûches dans le fourneau, et que Tikarek soit bien installé sur mes genoux, et je commence :

« Ceci est l'histoire qu'on racontait dans les collines des Hébao, bien avant que les armées de Paalu ne se heurtent, dans les Plaines Bleues, aux armées des Aritnai... »

4

Iptit au Chapeau Vert

Après qu'elle eut fini de créer les déesses et les dieux, il ne restait à Hananai presque plus de la substance du Commencement, mais il lui en restait tout de même un peu. Fidèle à la tâche qu'elle s'était donnée, elle façonna donc un dernier dieu, aussi parfaitement formé que tous les autres, mais minuscule, qu'elle nomma Iptit. Les autres déesses et dieux se mirent à rire, en demandant à quoi il pourrait bien servir : toutes les choses importantes avaient déjà des Gardiens pour s'en occuper !

« Eh ! bien, dit Hananai, pas vraiment. Qui parmi vous s'occupe de la plume perdue par le baïllad dans la forêt ? Qui s'occupe de la feuille emportée par le vent ? »

« … et de la boucle d'oreille glissée sous le tapis ? » dit Maroussia.

« *Et du ruban rouge tombé sous le lit ?* » dit Stéloni.

« *Et de l'aiguille perdue dans la botte de foin ?* » enchaînent en chœur les jumelles.

« Mais ce n'est pas important ! protestèrent les déesses et les dieux. Nous contrôlons le flot des rivières et la poussée des montagnes, la course du vent et des orages, nous veillons à ce que les étoiles brillent dans le ciel ! Nous n'avons pas le temps de nous occuper de ces petites choses-là ! »

« Et pourtant, elles sont importantes aussi », dit Hananai en fronçant les sourcils – et déesses et dieux baissèrent le nez, honteux. « Il faut quelqu'un pour s'en occuper. Ce sera toi, Iptit. Tu seras le dieu des petites choses. »

Après le départ de Hananai, les déesses et les dieux, qui n'avaient pas compris sa leçon, se rassemblèrent autour d'Iptit pour se moquer de lui, le mettant au défi de prouver que sa tâche était aussi importante que les leurs.

Or, en ce temps-là, loin au sud-ouest du Leïteltellu, le long de la Toïtsaon, au pied des montagnes qui bordent la côte, vivait une jeune guérisseuse hébaë nommée Arani. Elle habitait seule dans une clairière, avec un banker daru nommé Tamal qui était monté des Plaines Bleues pour explorer les collines, et qui y était resté. Elle faisait avec lui de longues promenades dans la forêt en examinant les plantes sauvages, ramassait celles qui lui paraissaient intéressantes et les rapportait chez elle pour trouver à quoi elles pouvaient servir : celle-ci était bonne à manger, celle-là calmait la fièvre, cette autre produisait une belle teinture... Quand elle avait rassemblé assez de plantes utiles, elle allait à la ville, au pied des collines, et échangeait ses plantes et son savoir contre ce qui lui manquait : des outils de métal, des cordes neuves pour son aïluret (car c'était une musicienne) et de la farine ; tout le reste, elle le fabriquait, le faisait pousser elle-même ou le trouvait dans la forêt. Arani était une jeune fille pleine de ressources.

Mais elle n'avait jamais pu échanger ses moissons de plantes contre des amis. Les gens de la ville acceptaient bien de faire commerce avec elle, mais ils la craignaient un peu. Elle ne venait pas assez souvent, elle ne restait pas assez longtemps... Et puis, Arani était bien grande et bien forte pour une Hébaë, et elle n'était pas très bavarde : pour tout dire, elle n'aimait pas perdre son temps, c'est-à-dire s'asseoir avec les marchands devant une tasse de thé et discuter pendant des heures de tout et de n'importe quoi avant de décider d'un prix pour ses marchandises et les leurs, comme c'était la coutume dans les villes au pied des collines.

Mais Arani avait beau être satisfaite de la vie qu'elle menait dans la forêt, où les animaux étaient ses amis et les plantes une source inépuisable de connaissance, et elle avait beau jouir de la compagnie de Tamal le banker... dans le secret de son cœur, sans même en avoir vraiment conscience, elle aurait bien voulu partager sa vie avec un autre être humain. Et dans le secret encore plus secret de son cœur, sans en avoir conscience du tout, elle priait souvent les déesses et les dieux pour qu'ils lui donnent un compagnon ou une compagne.

En ce temps-là, déesses et dieux ne s'occupaient pas individuellement des humains. Quand il y avait des tremblements de terre, des ouragans, des épidémies, des inondations, oui, quand un nombre suffisant d'humains était concerné, alors cela devenait assez important pour les Gardiens. Les prières individuelles, non. Ils entendirent pourtant la prière d'Arani – sans doute parce qu'au lieu de s'affairer à leurs tâches importantes ils étaient tous rassemblés autour d'Iptit dans les nuages qui couronnent les montagnes autour du Leïteltellu.

« Tiens, Iptit, voilà une tâche qui devrait être à ta taille, dit un dieu. Exauce la prière de cette humaine en utilisant une seule petite chose, et nous te reconnaîtrons comme notre égal. »

« Je suis votre égal, puisque Hananai m'a créé comme vous, dit Iptit sans se troubler.

Non, si j'exauce la prière d'Arani, vous me donnerez chacun trois de vos cheveux. »

Les déesses et les dieux étaient si sûrs de son échec qu'ils acceptèrent. De toute façon, qu'est-ce qu'Iptit pourrait faire avec leurs cheveux ?

« Choisissez vous-mêmes la petite chose que je devrai utiliser », dit Iptit.

L'un des dieux se pencha depuis le nuage où il était étendu et ramassa sur les rives de la Toïtsaon un caillou pas plus gros que le bout de mon petit doigt, pour le tendre à Iptit. Et heureusement qu'Iptit était un dieu pour le prendre quand même et le tenir malgré sa petite taille, car le caillou était aussi gros que sa tête !

Iptit posa la roche devant lui pour l'examiner : elle n'était pas irrégulière comme de la pierre normale, mais présentait des surfaces planes et lisses, géométriques ; en fait, on avait l'impression que deux petits cubes avaient été collés l'un dans l'autre, et déformés en biais. Et le tout brillait joliment doré au soleil.

« C'était de la tellaod ! » dit Stéloni, incapable de se retenir.

« En effet. Mais en ce temps-là, c'était seulement un caillou, une pierre comme une autre. »

Iptit sourit, mais les déesses et les dieux ne s'en rendirent pas compte : il était si petit, c'était difficile de voir des expressions sur son visage. « Maintenant, dit-il, vous devez jurer

47

que vous n'interviendrez pas plus que moi après que ce sera commencé. »

Mais il ne dit pas « Vous devez jurer par Hananai » – et les déesses et les dieux ne le lui rappelèrent pas, car s'ils avaient juré par Hananai, ils n'auraient pas pu enfreindre leur serment. Or après tout, on ne savait jamais, peut-être auraient-ils besoin de donner un coup de pouce ici et là ?

Ils jurèrent donc, toujours en riant. Iptit roula le caillou au bord du nuage pour le laisser retomber vers la terre, et tous se mirent à plat ventre sur le nuage pour observer la suite des événements.

En ce temps-là, à Ansaalion, loin à l'est du Leïteltellu, sur l'embouchure de la Hleïtsaon, la Grande Rivière, vivait un prince tyrnaë nommé Khaliad, très riche et très gâté, qui, de l'avis général, ferait un très mauvais roi quand viendrait son tour de monter sur le trône – mais il était le seul fils du roi d'Ansaalion. Il n'avait jamais eu aucun intérêt pour la généalogie, avait refusé d'apprendre par cœur les listes des hauts faits de ses ancêtres, se moquait éperdument de l'étiquette en vigueur à la cour et, pendant toute son enfance et son adolescence, s'était seulement appliqué à échapper de toutes les façons possibles aux leçons de ses tuteurs. Ses seuls véritables talents, c'était de pouvoir jongler avec à peu près n'importe quel objet et de faire des tours de prestidigitation, talents qui auraient pu avoir quelque rapport avec l'exercice du pouvoir si Khaliad les avait appliqués à son métier de futur roi, ce qu'il ne faisait malheureusement pas.

Un jour qu'il était à la chasse avec une dizaine de compagnons tout aussi riches et gâtés que lui, son asker se mit à boîter. Il laissa ses compagnons prendre de l'avance – la chasse ne l'intéressait pas beaucoup de toute façon : c'était comme tout le reste, il en était blasé – et il mit pied à terre pour examiner sa monture. Un caillou aux arêtes vives s'était logé dans le sabot de la patte arrière droite de l'animal. Le prince sortit son couteau de chasse pour enlever le caillou, mais celui-ci était bien enfoncé. Khaliad redoubla d'efforts et le caillou se dégagea d'un seul coup pour aller frapper les feuilles d'un buisson de peltraas qui se trouvait non loin de là.

Le peltraas est une plante du Nord qui projette ses graines avec force au moindre effleurement quand elles sont mûres, et chacune est alors comme un petit grain de plomb. C'était l'Automne, les graines étaient mûres, et sous le choc du caillou le peltraas se déchargea explosivement de toute sa moisson.

Le prince fut surpris, mais pas autant que l'asker. L'animal se cabra et s'enfuit en sifflant. Le prince attrapa instinctivement les rênes, mais l'asker avait eu trop peur : il traîna le prince sur plusieurs centaines de lani dans le sous-bois. Le prince s'agrippait de toutes ses forces, espérant que son poids finirait par ralentir l'animal. Courant à moitié et à moitié traîné, il passa sur des cailloux, et sur des ronces, et par dessus des troncs d'arbres, et quand il vit que l'asker s'engageait dans un champ de rochers, il essaya de lâcher les rênes mais c'était trop tard : il se cogna la tête contre une pierre et perdit conscience.

Quand il se réveilla, il vit qu'il se trouvait dans des fourrés, non loin d'une route. Mais il ne savait pas ce qu'il faisait là. Il ne savait pas comment il était arrivé là. Il ne savait pas d'où il était parti... Il ne savait pas, réalisa-t-il, qui il était ! Il devait bien avoir un nom, mais il ne se le rappelait pas. Il savait seulement qu'il avait très mal à la tête. Il se releva, tâta sur son front la bosse qui avait saigné un peu et examina ses habits. De beaux habits, richement brodés, mais couverts de poussière et de taches d'herbe, tout déchirés. Il devait être quelqu'un d'important, et il lui était arrivé un accident. Ou bien il avait volé ces habits à quelqu'un d'important, et ce quelqu'un l'avait peut-être fait punir ? Comment savoir ? En tout cas, la nuit tombait, et il y avait une route non loin de là. Le mieux à faire, c'était de rejoindre, puis de suivre la route.

Il fit quelques pas mais s'arrêta bientôt : il y avait quelque chose dans sa botte qui lui faisait mal, sans doute un caillou. Avec un soupir, il s'assit dans les hautes herbes, enleva sa botte et la secoua pour faire tomber le caillou. Et c'est ainsi que la troupe de ses compagnons de chasse lancés à sa recherche sur la route proche ne le remarquèrent pas dans les fourrés et, quand il leva la tête, ils étaient déjà passés – mais évidemment il ne savait pas qu'ils le cherchaient.

De toute façon, quelque chose d'autre retenait son attention : le caillou qu'il avait retiré de sa botte et qui brillait doucement d'un éclat doré dans sa main. En le regardant, il avait une sensation bizarre, comme un souvenir qui aurait essayé de se frayer un chemin, en vain, vers la surface de sa mémoire. Le caillou ressemblait à deux petits cubes collés l'un dans l'autre, déformés en biais dans le même sens, et il brillait. Or, comme je l'ai dit, la nuit tombait : il faisait déjà sombre, il n'y avait pas assez de lumière pour faire briller ce caillou. Et pourtant non seulement c'était lumineux dans l'ombre, mais en plus ça émettait de la chaleur. Inhabituel. Joli, aussi. Déconcerté, mais avec un sourire, le prince qui ne se rappelait plus qu'il était un prince glissa le caillou dans celle de ses poches qui n'était pas déchirée et se releva pour rejoindre la route.

Il avait eu l'intention de suivre la route droit devant lui, et droit devant lui c'était vers l'est et – même s'il ne le savait pas – vers Ansaalion. Mais comme il avait dû retirer le caillou de sa botte et qu'il avait passé un certain temps à l'examiner, il arriva au bord de la route juste au moment où, en provenance de l'est, passait la carriole d'une troupe de saltimbanques, bringuebalant sur les pavés mais encore bien reconnaissable dans la pénombre grâce aux lanternes colorées posées à chaque coin du véhicule.

« Ho ! voyageur, dit le conducteur en tirant sur les rênes, tu as l'air d'avoir passé un mauvais moment. Veux-tu venir avec nous jusqu'au prochain village ? »

Sans savoir pourquoi, le prince qui avait perdu la mémoire sentit qu'il avait envie de dire oui. Après tout, prendre la route dans un sens ou dans l'autre, c'était la même chose pour lui, n'est-ce pas, puisqu'il ne savait pas d'où il venait. Il accepta donc l'offre du chef saltimbanque et se hissa à bord de la carriole. Les femmes l'accueillirent avec des « oh ! » et des « ah ! » en constatant l'état de ses habits, et elles se battirent presque pour lui donner à boire et à manger, car malgré la poussière et la bosse sur son front, c'était un fort joli garçon, avec ses yeux violets et ses cheveux blonds de Tyrnaë. Qu'il fût un Tyrnaë ne dérangeait pas les saltimbanques ; ils venaient d'un peu partout, mais surtout de la région du Golfe, au sud-ouest : les querelles entre Hébao et Tyrnao ne les concernaient pas.

Ils n'avaient pas parcouru trois langhi qu'ils furent arrêtés par une troupe de bandits qui, dans l'obscurité, avaient pris leur carriole pour un carrosse de riches voyageurs. Les voleurs furent très irrités de constater que c'étaient seulement des saltimbanques, et qu'ils ne possédaient rien de valeur. Par principe, ils se mirent tout de même à vider la carriole et à en fouiller les occupants.

« Qu'est-ce que c'est que ça ? » rugit l'un des bandits en sortant le caillou doré de la poche du prince qui ne savait plus qu'il était un prince. Le caillou se mit à briller dans l'ombre, et l'homme, surpris, le lâcha. Le prince l'attrapa au vol et le fit disparaître – à sa grande surprise, car il avait oublié qu'il savait le faire.

« Quoi, "ça"? »

Le bandit poussa un grognement en sortant son coutelas : le Tyrnaë osait se moquer de lui ?

« Oh, ça ! » dit le prince en faisant réapparaître le caillou derrière l'oreille du bandit. « Ça, c'est un outil de travail. » Il ramassa vivement quelques autres cailloux ordinaires par terre, et – à sa propre surprise, car il avait oublié qu'il savait comment – se mit à les faire voltiger dans l'air. Puis, s'avançant vers le tas d'objets que les bandits avaient sortis de la carriole, il en attrapa plusieurs et leur fit rejoindre la sarabande : la boule de verre dans laquelle la femme du chef saltimbanque lisait l'avenir et le passé, les clochettes qu'on attachait au cou des aski avant d'arriver dans un village, les souliers de l'acrobate et les éventails de la danseuse, les fourchettes, les couteaux, les assiettes et les ciseaux...

Du coup, les bandits avaient oublié leur colère, et ils se mirent à jeter d'autres objets au prince-jongleur : des pièces de monnaie, des dés, des poignards... Celui-ci les attrapait tous et les faisait tourner en se promenant d'une personne à l'autre sans jamais manquer un pas, mais en se demandant combien de temps sa chance allait durer.

À la fin, le chef des bandits se mit à rire : «Reprenez vos affaires et votre route, saltim-banques, vous l'avez bien gagné ! Quant à nous, tant pis, nous allons nous coucher. »

Quand la carriole eut été rechargée et fut repartie en bringuebalant sur les pavés, le chef des saltimbanques se tourna vers le prince-jongleur : «Nous te devons la bourse et la vie, voyageur, et nous ne savons même pas ton nom ! »

«Je m'appelle Pyteldan », dit le prince qui avait oublié son vrai nom. Et le chef des saltimbanques se mit à rire, car c'était un nom approprié : "petite pierre qui brille et qui tourne".

Les déesses et les dieux qui suivaient tout cela à plat-ventre sur leur nuage protestèrent avec bruit : le caillou d'Iptit avait servi plus d'une fois ! Mais Iptit ne se laissa pas démonter. Le caillou avait rebondi sur les feuilles du peltraas pour tomber dans la botte du prince, mais il n'y était pour rien puisqu'il était resté sur le nuage. Le prince avait trouvé le caillou joli, et le voleur l'avait découvert dans sa poche en le fouillant : là encore, comment Iptit aurait-il pu y être pour quelque chose ? Il n'avait pas bougé de son nuage !

Déesses et dieux, en grommelant, admirent qu'il avait raison et se réinstallèrent pour observer la suite des événements.

Le long de la route de l'Ouest, tandis que le royaume pleurait la disparition du prince et sa mort probable, les saltimbanques voyagèrent tranquillement de village en village. Dans chaque village, les talents de jongleur et de prestidigitateur de Pyteldan lui attirèrent bien des faveurs auprès des femmes hébao – en plus de ses yeux violets et de ses cheveux blonds de Tyrnaë – à défaut de lui faire gagner beaucoup d'argent, mais quel besoin avait-il d'argent ? Il était logé, nourri, il avait de la compagnie et il pouvait faire ce qu'il désirait : c'était tout ce qu'il demandait... Quand arriva le début de l'Hiver, cependant, les saltimbanques lui dirent qu'ils allaient devoir bientôt repartir pour le Sud et la région du Golfe, mais ils devaient aller d'abord à la dernière grande foire de l'Ouest, qui avait lieu sur les bords de la Toïtsaon.

Arani était allée aussi à la foire, comme c'était son habitude, pour échanger les herbes, les champignons et les noix cueillis dans la forêt contre ce qu'il fallait pour passer confortablement l'Hiver. Elle s'était installée dans un coin tranquille, loin du cœur bruyant de la foire où se trouvaient les saltimbanques, mais les déesses et les dieux commencèrent tout de même à s'agiter, un peu mal à l'aise sur leur nuage.

Arani était accompagnée de son banker, bien entendu, car Tamal adorait les foires : tout ce bruit, tous ces gens, toutes ces choses nouvelles ! Il aimait galoper dans la poussière entre les étals, écouter les conteurs d'histoires ou sauter d'un auvent à l'autre et prendre un beignet pendant que le marchand regardait ailleurs... Les beignets, ce n'était pas trop grave, mais ce qui ennuyait davantage Arani, c'était le goût immodéré qu'avait Tamal, comme tous les banki, et surtout les daru, pour les choses qui brillent. À chaque fois, elle devait passer les dernières heures de la foire à la recherche des propriétaires légitimes de ce qu'il avait volé (même si la notion de vol n'existe pas pour les banki) : bijoux, couverts, écharpes tissées de fils d'argent...

Pyteldan considérait maintenant comme un porte-bonheur son caillou doré et ne manquait jamais de l'intégrer à ses jongleries et à ses tours. Et Tamal, au premier rang de la foule admirative, regardait cette petite chose brillante qui montait, et tournait, et redescendait, et revenait.... À la fin, il n'y tint plus : il bondit, il attrapa le caillou, et il se sauva à toute allure à travers la foire.

« Reviens, petit voleur ! » s'écria Pyteldan indigné, en laissant retomber au hasard et dans un grand vacarme les objets hétéroclites avec lesquels il était en train de jongler. Et il sauta dans la foule à la poursuite du banker.

Tamal aimait presque autant les poursuites que les choses brillantes et il en profita pour faire visiter la moitié de la ville à Pyteldan, qui n'en vit pas grand chose de toute façon, obsédé qu'il était par le désir de récupérer son caillou porte-bonheur. Mais, à la fin, Tamal se lassa et décida de retourner avec son butin à la maison, en l'occurrence auprès d'Arani. Pour rendre la chasse intéressante, il avait laissé Pyteldan le suivre de près, toujours sur le point de l'attraper. Arrivé à bon port, il sauta par-dessus l'étal pour se cacher dans la carriole d'Arani... et Pyteldan, emporté par son élan, referma les mains sur du vent et s'écrasa sur l'étal, dispersant herbes, noix et champignons – et Arani – dans la poussière.

Arani se releva, furieuse et atterrée, au milieu des ruines de ses marchandises et de ses espoirs de commerce. Pyteldan s'était dégagé des morceaux de planches cassées et considérait les dégâts, embarrassé. Tamal eut la mauvaise idée d'émettre un sifflement moqueur depuis la carriole. Pyteldan vit rouge et s'élança pour aller le tirer de sa cachette. Arani le retint par la peau du cou, ou du moins par le col de sa chemise, et l'arrêta net :

« Pas si vite ! Où allez-vous comme ça ? »

« Reprendre ce que ce banker m'a volé ! »

« Eh bien, vous avez intérêt à ce que ça ait de la valeur, parce que vous allez me rembourser toutes mes marchandises ! »

« Comment ? s'indigna Pyteldan, votre bestiole me vole, et c'est moi qui dois payer ? »

(Sur leur nuage, déesses et dieux échangèrent des regards satisfaits : ça tournait bien pour eux, puisque ça tournait mal !)

« Ce n'est pas Tamal qui a démoli mes marchandises ! » rétorqua Arani.

Pyteldan commençait déjà à se calmer. Il regarda de nouveau les paquets d'herbes épars, les paniers renversés, l'étal brisé. Et tout ça, somme toute, pour un caillou doré... Honteux, il se mit à ramasser les noix pour les remettre dans un panier.

« Ça ne fera pas pour les herbes et les champignons ! » dit Arani, toujours furieuse. Est-ce que ce Tyrnaë s'imaginait qu'il allait s'en tirer à si bon compte ?

« Je sais bien, dit Pyteldan, mais je ne suis qu'un jongleur. Tout l'argent que je gagne sert à payer ma part chez les saltimbanques qui m'hébergent. Je n'ai jamais rien mis de côté... Et la foire se termine aujourd'hui. »

Arani, intraitable, le traîna devant le magistrat du village, qui trancha : Pyteldan irait travailler pour Arani tout l'Hiver et lui rembourserait ainsi l'équivalent de ce qu'il lui avait fait perdre. Ni Arani ni Pyteldan ne furent satisfaits du jugement : elle avait espéré pouvoir acheter un nouvel alambic pour distiller la sève des plantes, et avoir un serviteur, même pour une Saison, ne lui permettrait certainement pas d'en acheter un à la Foire du Printemps. Quant à lui, Pyteldan n'avait pas du tout envie de passer l'Hiver dans la forêt à *travailler*. Jongler ou faire des tours, c'était autre chose. Fendre du bois ou casser de la glace... Non. Mais il dut tout de même accepter, comme Arani, la décision du magistrat. Il dit donc adieu aux saltimbanques, qui s'en retournèrent hiverner dans le Sud, et il suivit Arani dans la forêt en faisant sauter dans sa poche le caillou doré qu'elle avait quand même obligé Tamal à lui rendre.

L'Hiver dans les collines au-dessus du Leïteltellu n'est jamais bien rigoureux, et les tâches que Pyteldan avait à effectuer n'étaient pas très pénibles, même pour quelqu'un qui n'aimait pas travailler de ses mains (pour autre chose que les jongleries et la prestidigitation, du moins...). Mais le problème de Pyteldan, c'était qu'il n'avait pas l'habitude de vivre seul. Il avait passé près d'une demi-Saison avec les saltimbanques, et leur style de vie lui avait très bien convenu, car il ressemblait beaucoup – mais cela il ne le savait pas, évidemment ! – à son ancienne existence de prince toujours entouré et applaudi pour ses moindres gestes.

Mais vivre seul... Vous me direz qu'il n'était pas seul, il était avec Arani. Mais justement, le problème d'Arani, c'était qu'elle n'avait pas l'habitude de vivre avec quelqu'un – surtout un Tyrnaë. Elle avait tendance à rester toujours dans son coin et à éviter Pyteldan le plus possible une fois qu'elle lui avait donné le travail à faire pour la journée. Aussi Pyteldan, de son côté, se sentait-il encore plus seul que s'il avait été vraiment seul, parce qu'il y avait tout de même quelqu'un dans le même espace que lui, et que ce quelqu'un l'évitait.

Les premières semaines ne furent pas très agréables, d'autant que les premières neiges étaient tombées. Natif d'Ansaalion, même s'il ne s'en souvenait plus et si les querelles entre Hébao et Tyrnao lui étaient à présent indifférentes, Pyteldan n'était pas habitué à la neige et au froid et il n'avait pas non plus les vêtements nécessaires, étant censé s'en aller dans le Sud hiverner avec les saltimbanques.

Arani en eut bientôt assez de le voir frissonner et claquer des dents, et puis, ça l'empêchait de bien travailler, ce garçon! Elle lui fabriqua une veste et un pantalon bien chauds, taillés dans la peau des animaux qu'elle avait attrapés dans la forêt. Pyteldan, reconnaissant, alla chercher des perles d'Hiver dans les collines, là où les tingai des temps anciens, depuis longtemps redevenus poussière, avaient pleuré leur sève que le temps avait transformée en pierres. Les perles posées sur le poêle illuminaient la pénombre d'effets irisés roses et violets, et Arani les regarda avec surprise au retour d'une de ses courses en solitaire dans la forêt. Elle n'avait jamais pensé à décorer sa maison ainsi; l'Hiver, pour elle, était une Saison aussi industrieuse que les autres : trier ses trouvailles séchées, les décrire et les étiqueter dans son grand livre, mettre au point de nouvelles expériences pour en apprendre les propriétés... et tout le reste, les tâches journalières dont, à vrai dire, Pyteldan, tout maladroit qu'il était, la débarrassait à présent en grande partie. Il avait préparé le souper ce soir-là, encore une fois avec plus de bonne volonté que de succès, mais Arani l'en remercia avec un peu plus de chaleur que d'habitude, et ils restèrent un peu plus longtemps ensemble dans la salle commune à regarder les perles d'Hiver changer lentement de couleur sur le poêle.

Le surlendemain, Pyteldan, en fendant du bois, se mit à chanter une chanson qu'il ignorait connaître – cela lui arrivait de temps en temps, des morceaux de sa mémoire qui remontaient soudain à la surface, mais jamais assez pour lui permettre de savoir qui il était vraiment ni d'où il venait. C'était une chanson simple, un air que les enfants d'Ansaalion chantent en courant à cloche-pied sur les ponts, mais c'était un air qu'Arani ne connaissait pas, et elle le trouva plaisant. Elle prit son aïluret et s'efforça de reconstituer la mélodie. Quand Pyteldan eut fini de couper le bois, il entendit la musique et vint rejoindre Arani. Ensemble, ils reconstituèrent la chanson.

Un autre jour, alors qu'une tempête de neige les emprisonnait tous deux dans la maison (avec Tamal, mais Tamal, comme tous les daru, dormait beaucoup en Hiver), Pyteldan demanda à Arani ce qu'elle écrivait avec tant de minutie dans son grand livre. Elle le lui expliqua, d'abord avec réticence, puis avec plus d'abandon, tellement convaincante dans sa passion des plantes et de leurs secrets que Pyteldan lui demanda si elle accepterait de le prendre pour élève. Un peu déconcertée, mais plutôt contente, elle accepta.

Et ainsi, de jour en jour, et de semaine en semaine, Arani s'habitua à vivre avec Pyteldan, et Pyteldan avec Arani.

Sur leur nuage, les déesses et les dieux inquiets tinrent conseil – sans Iptit, évidemment. À la suite de quoi ils lui déclarèrent qu'il n'avait pas gagné : l'accident qui avait effacé les souvenirs de Pyteldan introduisait dans l'expérience un élément de doute trop important.

Iptit ne semblait pas autrement troublé : « Ai-je dit que j'avais gagné ? L'histoire n'est pas finie. » De plus en plus déconcertés, déesses et dieux se penchèrent de nouveau au bord de leur nuage pour voir ce qui se passait en bas.

En bas, c'était la fin de l'Hiver, et ce serait bientôt l'anniversaire d'Arani. Pyteldan se demandait ce qu'il pourrait bien lui offrir. Il ne s'était jamais excusé pour le tort qu'il lui avait causé – à vrai dire, à ce stade, il était bien content d'avoir démoli l'étal d'Arani, puisque cela lui avait permis de venir vivre avec elle dans la forêt. Il n'aurait jamais osé le lui dire, cependant, car il avait découvert avec surprise qu'il était timide... avec Arani. Il était là, devant le poêle, et comme à son habitude il jouait machinalement avec son caillou porte-bonheur... quand tout d'un coup il sut ce qu'il allait offrir à Arani ! Il alla chercher un petit marteau et, avec beaucoup de soin, comme il l'avait vu faire aux joailliers qui travaillent les pierres précieuses, il frappa le caillou, qui se cliva par le milieu dès le premier coup, le long de l'endroit où les cubes étaient collés l'un dans l'autre. Mais ce ne fut pas d'une façon parfaite : il y avait une veine d'une autre sorte de pierre à l'intérieur, comme un éclair gris-bleu, et le clivage la sépara en deux aussi, une moitié en plein sur un cube, l'autre moitié en creux dans l'autre cube.

Ravi, Pyteldan monta dans la moitié en plein du métal pour en faire un médaillon, et il passa le médaillon dans une lanière de cuir. Il aurait dû en faire autant de l'autre moitié, mais la timidité le retint : qu'aurait pensé Arani en le voyant porter en médaillon l'autre moitié du caillou ? (Arani aurait pensé exactement ce que Pyteldan aurait bien aimé qu'elle pense, mais il avait trop peur qu'elle ne soit offensée... C'était déjà assez de lui offrir la moitié du caillou doré !)

Il lui présenta donc le médaillon à midi exactement – elle lui avait dit que c'était l'heure de sa naissance – et, en rougissant un peu (mais cela ne se voyait guère sur sa peau bronzée), Arani remercia Pyteldan et s'apprêta à passer le collier autour de son cou.

À ce moment-là, un rare rayon de soleil passa par la fenêtre et vint faire briller le médaillon. Et Tamal, qui somnolait d'un seul œil auprès du poêle, se réveilla brusquement pour observer avec convoitise cette chose qui brillait si bien. Et comme Arani, en riant, balançait le médaillon dans le rayon de soleil inattendu, Tamal bondit, lui arracha le collier des mains et se sauva dehors.

« Décidément ! » dit Arani en riant de plus belle.

« Je vais aller le chercher », dit Pyteldan.

« Ne casse rien, cette fois ! » dit-elle.

En entendant ces paroles, pleines d'amusement mais aussi de quelque chose qui ressemblait à de la tendresse, Pyteldan se sentit envahi d'une joie immense et bondit derrière le banker avec une énergie renouvelée.

Tamal n'avait pas envie de se compliquer la vie : il était grimpé dans le premier arbre venu, un mélingai dont les branches basses traînaient au sol. Il n'avait pas pensé, bien sûr, qu'il serait facile aussi à Pyteldan de grimper derrière lui. Il se reposait sur une branche à mi-hauteur quand il vit la tête blonde de Pyteldan apparaître devant lui à travers les aiguilles bleu-vert du mélingai. Avec un petit sifflement surpris, Tamal monta quatre branches plus haut. Pyteldan le suivit sans difficulté. Tamal siffla joyeusement : c'était un jeu, maintenant. Il grimpa plus loin vers la cime de l'arbre, là où les branches devenaient plus minces, en prenant grand plaisir à arroser Pyteldan de neige. Pyteldan le suivit encore.

« Fais attention ! » cria Arani, qui les observait d'en-bas.

Tout revigoré par l'inquiétude d'Arani, et pas mécontent de faire preuve devant elle d'adresse et d'agilité, Pyteldan se hissa sur une autre branche, qui ploya sous son poids. Le banker était tout près, maintenant, à portée de la main...

Mais Tamal, qui voulait bien jouer mais pas se laisser arracher son butin, prit son élan et sauta vers la cime de l'arbre voisin juste au moment où Pyteldan se penchait en équilibre instable pour lui attraper la queue.

La branche cassa avec un craquement sonore, qui se répéta à intervalles irréguliers pendant que Pyteldan dégringolait de branche en branche. Il tomba enfin sur le sol, là où la neige avait fondu en découvrant la bosse grise d'un rocher.

Arani s'élança, épouvantée, mais il s'asseyait déjà quand elle arriva près de lui. Il secoua la tête et cligna des paupières dans le soleil tandis qu'elle examinait son crâne. Juste une bosse, il avait de la chance ! Puis elle lui tendit la main pour l'aider à se relever.

« Qui êtes-vous ? dit-il. Qu'est-ce que je fais ici ? »

Elle crut qu'il voulait plaisanter, mais il la dévisageait avec une expression vraiment déconcertée. Arani était une guérisseuse, et elle se rappelait ce qu'il lui avait dit de l'accident qui lui avait fait perdre la mémoire. Avec le sentiment d'une catastrophe, elle lui demanda à son tour : « Qui êtes-vous ? D'où venez-vous ? »

« Je suis Khaliad d'Ansaalion, répondit-il sans hésiter. J'étais à la chasse, et je suis... tombé de mon asker ? » Il regarda autour de lui : « Mais, en autant que je me souvienne, ce n'était pas au pays des Hébao... »

Avec un soupir, Arani l'aida à se mettre debout : « Ce n'était pas ici. Vous êtes très loin d'Ansaalion. Venez, je vais vous donner ce qu'il vous faudra pour le voyage. »

Le prince la suivit, tiraillé entre des désirs contradictoires. D'un côté il voulait retourner chez lui au plus vite, mais d'un autre côté, il voulait en savoir davantage sur ce qui lui était arrivé : qui était cette jeune Hébaë, quel était cet endroit, pourquoi ce banker les suivait-il d'un air si piteux, avec ce collier dans l'une de ses mains ? Mais Arani ne voulait rien lui dire. C'était Pyteldan le jongleur qui avait vécu avec elle tout l'Hiver, Pyteldan qu'elle avait appris à connaître – et à aimer –, Pyteldan qui lui avait fait ce collier... Mais Khaliad d'Ansaalion était un inconnu pour elle, et un prince, de surcroît : le fils du roi des Tyrnao ! Le plus vite il serait retourné à sa véritable existence, loin à l'Est, le mieux ce serait pour lui et pour tout le monde.

Un peu déconcerté, le prince se laissa pousser dehors avec ce qu'il fallait pour faire le voyage jusqu'au Leïteltellu, et Arani referma la porte de sa maison. Elle le regarda hésiter un moment, puis se mettre en route sur le chemin qui conduisait vers la Toïtsaon. Puis elle se détourna de la fenêtre, résolue. C'était un jour comme les autres, il y avait du travail à faire, elle n'avait pas de temps à perdre... Mais elle se retrouva devant Tamal, qui lui tendait d'un air contrit son collier d'anniversaire, avec le médaillon de pierre dorée. Elle le lui prit des mains, le passa à son cou... et se mit à pleurer.

Les déesses et les dieux exultaient sur leur nuage. En se retournant vers Iptit, ils se rendirent compte qu'il était en train de dormir, bien tranquille, et même qu'il ronflait, un bourdonnement d'abeille... Ils lui soufflèrent dessus pour le réveiller, pas trop fort, juste de quoi le faire rouler deux ou trois fois. Il ouvrit un œil, puis l'autre, et demanda « Quoi ? »

« Tu as perdu, Iptit ! » dit Pyan-Dzaïri le dieu du Vent, triomphant.

« Oh ? » dit Iptit. Il se pencha pour jeter un coup d'œil vers la terre, puis bâilla, s'étira, se réinstalla confortablement sous un rebroussis de nuage. « Pas encore », marmonna-t-il. Et il se rendormit.

« Comment, pas encore ? » se dirent entre eux déesses et dieux, interloqués. « Khaliad va vers l'ouest, Arani est dans l'Est, et il va tout oublier d'elle ! Ce petit dieu des petites choses délire ! Nous avons gagné, et c'est tout. »

« Il a dit "Pas encore" » dit une voix familière, et Hananai apparut sur le nuage. Elle avait suivi toute l'affaire de loin : il ne faut pas croire que Hananai délègue tout aux Gardiens, et surtout pas en ce temps-là où ils venaient à peine d'être créés. Elle s'installa donc, elle aussi, sur le nuage, et invita déesses et dieux à continuer de regarder ce qui se passait parmi les humains.

Pendant ce temps (car le temps de Hananai et des Gardiens n'est pas forcément celui des humains), Khaliad était retourné chez lui et s'était fait reconnaître de son père, lequel fut fort heureux de la réapparition inespérée de son héritier. On fêta ce retour comme il convenait, et Khaliad se mit ensuite à se préparer à son futur métier de roi, à la grande surprise de tous mais aussi à leur grande satisfaction. En effet, il avait maintenant le goût du travail bien fait et se préoccupait du bien-être de ses futurs sujets, les Tyrnao comme les Hébao. On s'accorda bientôt à dire à la cour et dans la ville que, quoi qu'il lui fût arrivé pendant sa disparition, cela avait considérablement amélioré son caractère, et ses capacités !

Cependant, Khaliad, lorsqu'il ne travaillait pas, se sentait étrangement mélancolique. Il était persuadé que c'était de ne pas se rappeler ce qui lui était arrivé... Il était parti à la chasse à la moitié de l'Automne, il était revenu à la fin de l'Hiver : il lui manquait une Saison et demie de sa vie. N'importe qui en aurait été affecté ! Et il avait vraiment tout oublié : le nom d'Arani, et même son existence... Cette Saison et demie s'était perdue dans une brume aussi opaque que le brouillard éternel sur les montagnes autour du lac. Il savait seulement qu'il avait voyagé pendant plusieurs semaines pour revenir de... quelque part au pays des Hébao, et que le soleil s'était toujours couché dans son dos. Mais il avait oublié tout le reste, et cela le troublait profondément, au point parfois d'en perdre le sommeil.

Il avait conservé ses vêtements de voyage dans un tiroir, avec l'espoir que peut-être ils l'aideraient à retrouver ses souvenirs, puis, même après avoir constaté qu'ils ne l'aidaient pas, par une sorte de superstition. Alors qu'il les examinait une fois de plus pendant une de ses nuits d'insomnie, il sentit quelque chose de dur dans la doublure de la veste, près de l'ourlet. Un petit objet avait dû y glisser depuis la poche droite, qui était percée. Il prit des ciseaux et sortit de la doublure une sorte de petit cube de pierre doré, qui semblait avoir été étiré en biais et dont une des faces portait, en creux, une veine de pierre gris-bleuté.

Alors quelque chose bougea dans sa mémoire, comme la surface du lac ridée par un soudain coup de vent. Ceci... était la moitié de quelque chose qui avait été complet. Et l'autre moitié... il l'avait donnée à quelqu'un ! À une femme, c'était une femme, il en était certain, même s'il ne se rappelait aucun nom, aucun visage. Mais qui ? Où ? Pourquoi ?

Il se précipita dans les appartements de son père, qu'il réveilla d'un profond sommeil : toute jeune fille possédant une certaine sorte de caillou doré devait être convoquée au palais. Il fallait le faire proclamer dans tout le royaume, avec la description du caillou ! Le roi, tout endormi, ne comprit pas ce qui se passait, mais il était bien prêt à faire plaisir à son fils retrouvé. Il fit proclamer l'édit le lendemain matin même.

Quantité de jeunes filles se présentèrent au palais, car elles soupçonnaient qu'il y avait sans doute là l'occasion de faire fortune. Au fur et à mesure que l'édit se rendait plus loin aux quatre coins du royaume, la file des aspirantes s'allongeait comme un mille-pattes dans Ansaalion, jusqu'à la porte du palais. Il y avait là des bourgeoises des villes et des belles de la noblesse, des paysannes et des pêcheuses, des marchandes et des chasseuses, des forgeronnes et des danseuses, bref, toutes les sortes de jeunes filles et de filles moins jeunes. Et toutes s'étaient procuré un morceau de cail-

71

lou correspondant plus ou moins à la description, ou s'en était fait tailler un qu'elles avaient peint en doré. Mais aucune, bien sûr, n'avait la bonne moitié, et Khaliad commençait à désespérer.

Arani avait entendu l'édit, elle aussi. Et un jour, au début de l'Été, elle arriva au palais, avec Tamal tout blanc de poussière. La file n'avait pas diminué, et elle était la dernière arrivée. Mais elle n'avait pas envie d'attendre, surtout après avoir fait tout ce long voyage, et elle remonta jusqu'à la porte du palais. Celles qui se trouvaient le long de la file se mirent à l'injurier ou à se moquer d'elle : c'était une Hébaë, et elle avait l'air d'une sauvageonne avec ses pieds nus, ses vêtements de peau et ses perles de couleur. Les gardes du palais la dévisagèrent d'un air méprisant et croisèrent leur lance devant elle : « Attends ton tour ! »

Alors Arani ôta le collier de son cou et le tendit à Tamal : « Va, dit-elle, va le donner à Pyteldan ! »

Tamal se glissa sous les lances croisées et, bientôt poursuivi par d'autres gardes vociférants, il bondit dans les couloirs du palais jusqu'à la salle où Khaliad recevait les aspirantes, sauta par-dessus les bras tendus pour l'attraper et grimpa sur les genoux de Khaliad pour lui secouer le collier devant le nez.

Khaliad essaya de l'attraper aussi, mais le banker sauta hors de portée, en direction de la porte de la salle, et Khaliad le suivit, accompagné des gardes, et des aspirantes, et de tous ceux qu'ils croisaient dans le palais. Arrivé à la grande porte, il vit le banker couché aux pieds d'une grande Hébaë qui attendait, les bras croisés, devant la foule furieuse des autres aspirantes retenues par des gardes. Et elle avait le collier autour du cou.

Il la regarda, elle le regarda. Il ouvrit la bouche... et soudain, comme un bourgeon éclate au Printemps, il sentit un nom fleurir tout d'un coup dans sa mémoire : « Arani ! » Et au moment même où il le prononçait, tous ses souvenirs lui revinrent d'un seul coup, et il s'élança vers Arani pour la prendre dans ses bras.

« Eh ! bien », dit Hananai en se retournant vers les déesses et les dieux déconfits, « je crois qu'Iptit a gagné. »

Il y eut bien quelques murmures, mais comment nier la vérité quand on est un gardien et que la lumière de Hananai brille devant vous ? Chacune des déesses et chacun des dieux donna à Iptit trois de ses cheveux, en se demandant avec un peu d'inquiétude ce qu'il allait en faire.

Avec ces cheveux, qui étaient pour lui comme des brins d'osier, Iptit se tressa un chapeau à large bord, comme en portent les bateliers dont les barges font la navette entre les îlots d'Ansaalion. Avec le jus d'une seule baie de tinkalân, il le teignit en vert. Ensuite il salua Hananai et fit un clin d'œil aux déesses et aux dieux en disant : « Maintenant, je crois que j'ai du travail », mit son chapeau sur sa tête et se laissa flotter vers la terre.

Et Iptit se mit à son travail, qui était de s'occuper des petites choses, la plume du baïllad perdue dans la forêt, la feuille emportée par le vent... les rubans égarés, les boucles d'oreille dépareillées, les aiguilles dans les bottes de foin !

Mais quelquefois, quand il en avait envie, il allait s'amuser dans le domaine de ses sœurs et frères, les déesses et les dieux... Et quelquefois le Printemps arrivait trop tôt, parce qu'Iptit avait donné un coup de pouce aux bourgeons pour les faire éclore. Quelquefois la pluie ne tombait pas, parce qu'Iptit empêchait la première goutte de se former dans le nuage. Et quelquefois, parce qu'il retenait un flocon de neige, une avalanche n'avait pas lieu...

« On ne peut pas le laisser faire ! » protesta la déesse du Printemps.

« Il contrarie l'ordre des choses ! » renchérit la déesse des Pluies.

« Nous ne pouvons tolérer un tel désordre ! » gronda la déesse des Avalanches.

Et comme Hananai n'était nulle part en vue, elles essayèrent de se débarrasser d'Iptit. Hanykéten essaya de le faire gober par un oisillon affamé ; Hankelliadi tenta de le noyer dans un orage ; et Kérekz-Akri fit tomber sur lui toutes sortes d'objets pesants. De toutes ces catastrophes Iptit sortit indemne et souriant, car son chapeau vert, tressé avec les cheveux des déesses et des dieux, le rendait invulnérable à leurs tentatives.

Et ainsi, au fil du temps, en voyant leurs grands et importants projets souvent contrariés par la minuscule intervention du petit dieu au chapeau vert, les déesses et les dieux finirent par comprendre la leçon que Hananai avait voulu leur donner : les grandes choses sont toujours constituées d'une myriade de petites choses, et il suffit parfois qu'une seule de ces petites choses arrive ou n'arrive pas pour que le résultat final soit très, très différent de ce que l'on prévoyait.

Et c'est pour cela qu'il faut toujours faire attention aux petites choses.

5

« Tu as oublié la fin de l'histoire, Grand-
mère, remarque Stéloni. Après le mariage de
Khalliad et d'Arani, les Hébao ne font plus jamais
la guerre aux Tyrnao. Et Arani donne naissance
à une fille, qui est l'arrière-arrière et encore bien
des fois arrière-grand-mère de Markhal le Premier, l'unificateur de Tyranaël après les guerres
de Conquête. Et tout ça pour un morceau de
pierre dorée. »

« C'est vrai, et c'est aussi à partir de ce
temps-là qu'on s'est mis à bâtir avec de la tellaod
partout où c'était possible, parce qu'elle conserve
la chaleur et la lumière. Mais je ne crois pas que
ce soit bien grave », sourit Menthilee en désignant
Tikarek endormi dans mes bras.

« En fait, dit Maroussia, rêveuse, c'est Iptit le
dieu le plus puissant, puisque toutes les grandes
choses sont faites de petites choses… »

Tinguem a un sourire entendu : « Je crois en effet que Hananai avait une idée derrière la tête en n'utilisant pas toute sa substance pour créer les autres dzarlit… »

Mirat acquiesce : « Il existe une version paalao de ce conte où Iptit se fâche très fort contre les autres dzarlit qui ont essayé de l'éliminer et, pendant un temps, il n'y a plus une seule naissance ni une seule mort sur terre, parce qu'Iptit retient le premier et le dernier souffle de la vie. Il faut que Hananai intervienne en personne pour lui prendre son chapeau vert et relancer la danse de la vie et de la mort. Il y a des limites au désordre qu'Iptit peut causer dans le monde. »

« Iptit n'est pas le dzarlit du désordre ! proteste Tinguem. À la rigueur, celui de ce que nous appelons hasard, ou chance, parce que nous ne voyons pas l'ordre qui se trouve dessous. »

Mirat secoue avec obstination sa crinière blanc et noir : « Il n'y a pas de hasard. Il y a les règles du jeu de Hananai. Quand on lâche une pierre, elle tombe. »

Tinguem remarque avec une certaine ironie : « S'il n'y a personne dans les environs pour la faire voler. L'autre jour, un grimpeur était tombé dans la falaise au-dessus du village. Il était coincé sur un tout petit rebord et il avait le bras cassé. Le Hékel est allé le chercher par la voie des airs, c'était trop dangereux autrement. Et même pour un Hékel volant, ce n'était pas facile. Les vents sont traîtres, le long des falaises. Ça prend un tzinan bien entraîné. »

« On ne peut pas dire que les tzinan volent, s'obstine Mirat. Pas comme les oiseaux. Ils ont la capacité de s'alléger, plutôt, de contrebalancer la pesanteur. Il se tenait quand même bien aux bouts de rocher ici et là, en montant. »

« Mais à peine, dit Tinguem, pour ne pas partir au vent. Grâce à son don, il a escaladé la face de cette falaise comme s'il avait nagé dans l'air, et il en est redescendu avec le blessé. C'est ce qui compte, n'est-ce pas ? »

Il n'y a pas toujours un Hékel au bon moment, au bon endroit, et surtout possédant la bonne sorte de don pour venir vous sauver la vie. Quand Menthilee est tombée dans le Leïteltellu, toute petite, et que son père a sauté à l'eau pour aller la chercher, il n'y a pas eu de Hékel pour le ranimer, lui... Mais je ne le dis pas, ce n'est pas le moment, et puis à quoi bon, c'est de l'histoire ancienne.

Curieusement, c'est Menthilee qui remarque : « La chance... Et la malchance, alors. Tout le monde n'est pas du bon côté d'Iptit. » S'est-elle souvenue, elle aussi ?

« Si Khaliad se trouvait sûrement malchanceux pendant que son asker le traînait dans les ronces, remarque Tinguem, à la fin de l'histoire il avait changé d'avis. »

Mirat hausse les épaules : « Mais nous ne connaissons jamais la fin de nos histoires... »

« Cela ne devrait-il pas nous inciter à la prudence, rétorque Tinguem, quand nous sommes tentés de penser en termes de chance ou de malchance ? »

« S'il n'y a pas de hasard, de toute façon, la prudence non plus n'est pas de mise. Les choses arriveront, qu'on soit prudent ou non. »

« Je ne sais pas, intervient Menthilee. Il y a une chose sur laquelle Iptit n'a aucun pouvoir, dans le conte : le cœur humain. Ce n'est pas Iptit qui a décidé qu'Arani et Khalliad s'aimeraient. Arani aurait pu ne pas laisser Pyteldan entrer dans son cœur. Hananai a établi les règles, Iptit dispose des circonstances. Nous décidons des choix. »

Je change de position avec précaution, pour ne pas réveiller Tikarek : « Nous avons le choix depuis la première femme et le premier homme. Depuis que Hananai a décidé d'effacer sa présence dans notre esprit, depuis qu'elle se promène masquée. Nous avons le choix de croire en Hananai ou de croire au hasard, à la chance ou à la malchance. »

« Ou à rien du tout », dit Stéloni.

Je souris : « On croit toujours à quelque chose, Stél. Ne serait-ce qu'au prochain souffle qui soulèvera notre poitrine : notre corps croit pour nous. »

« Est-ce que Hananai avait le choix de nous créer ou non ? » demande soudain Maroussia.

Tinguem se met à rire tout bas : « Bonne question. Sais-tu, les sages se la posent depuis le début des temps ! »

« Et qu'en penses-tu, toi, Père-Tinguem ? » dit Stéloni, espiègle.

« Je suis juste assez sage pour me la poser, juste pas assez pour y répondre ! » Il redevient sérieux : « Mais quelquefois, je me dis que pour nous avoir donné le choix, et l'avoir donné aux dzarlit, Hananai doit pouvoir choisir elle-même, n'est-ce pas ? Et donc, elle a dû choisir de nous créer. »

« Le conte dit qu'elle s'ennuyait et voulait de la compagnie », remarque Maroussia.

« C'est ce qu'ont décidé certains sages hébao, en effet, répond Tinguem sans se troubler. Une fois qu'elle avait établi les règles de son jeu, elle était obligée de les suivre. Mais rappelle-toi. Elle a triché trois fois pour nous créer… »

« Comment ça, Hananai a donné le choix aux dzarlit ? dit Stéloni avec un temps de retard. Il me semblait qu'elle avait décidé de quoi ils seraient les gardiens, non ? Elle a décidé pour Iptit, en tout cas. »

Tinguem se met à rire : « Iptit est un cas particulier ! Mais en général, elle les laissait choisir, même si elle avait son idée à elle. Ça lui a même causé des problèmes avec Paguid et Kithal, les dzarlit des Montagnes. »

« Eh, une histoire qu'on ne connaissait pas ! » s'exclame Maroussia, ravie.

Menthilee soupire : « Vous savez quelle heure il est, jeunes demoiselles ? »

Mirat intervient, ce qui lui vaut un sourire reconnaissant des jumelles : « Il n'est pas si tard, Menthilee… »

Et Tinguem conclut, en m'adressant un clin d'œil : « La version paalao, Menthilee, c'est la plus courte. »

Je sens poindre une crampe à force d'essayer de ne pas bouger pour ne pas réveiller Tikarek. Je le tends avec précaution à son père-Mirat, et je commence :

« Ceci est l'histoire qu'on racontait au temps où les Paalani croyaient que Paalu était le monde, car la passe de la Hache n'avait pas encore été coupée dans Hanultellan, la Montagne Sacrée, qui s'appelait alors Krelytar, la Fin du Monde : personne ne pouvait en franchir vivant les pics acérés. Et les courants qui encerclaient Paalu n'avaient jamais permis à un bateau de quitter la rive… »

6

Paguyn et Kithulai

Au fur et à mesure qu'elle tirait les dzarlit de la substance du Commencement, Hananai leur demandait de quoi ils voulaient être les Gardiens. Et elle créa ainsi Hïelnéas, la déesse des Enterrements et des Semailles; et Hany-kéten, Hankelliadi et Kérekz-Akri, les déesses du Printemps, de la Pluie et des Avalanches; et Tov-Taïri, le dieu des tovik, et Pyan-Dzaïri, le dieu du Vent, Gaad-Adiri, le dieu des Mariages et des Moissons...

Mais alors qu'elle allait créer la divinité des Montagnes, Hananai fut soudain saisie d'un hoquet, et sous ses mains naquirent des jumeaux, une déesse et un dieu. Amusée, Hananai nomma le dieu Paguid et la déesse Kithal, et elle leur demanda de quoi ils voulaient être les Gardiens. «Des montagnes!» répondirent-ils en chœur, et ils se mirent aussitôt à se quereller, parce que chacun voulait être le seul à régner sur les montagnes.

Hananai leur proposa d'alterner, Paguid une Saison et Kithal la Saison suivante, et ils acceptèrent. Mais au bout de deux Saisons, Hananai se rendit bien compte que cela ne convenait pas : Kithal et Paguid n'arrêtaient pas de se quereller, et même de se battre.

Après un combat particulièrement destructeur – tout un pan de montagne s'était effrité dans le nord de Krelytar – Hananai ne retint plus sa colère. D'une main elle saisit Paguid et le mit en pièces, et avec les morceaux elle modela des oiseaux géants, aux ailes noires et à la queue rouge, au bec et aux serres aussi pointus que des poignards, aux plumes aussi tranchantes que des rasoirs. De l'autre elle saisit Kithal et la mit en pièces, et avec les morceaux elle modela des félins géants, rayés de noir et de rouge, dont les crocs pouvaient mordre la pierre, et les griffes casser des troncs d'arbres. Hananai appela les félins karaï, et les rapaces agraï, et elle les jeta par poignées sur toutes les montagnes de Tyranaël en leur disant : « Régnez, maintenant ! »

Il restait un petit morceau de Kithal et un petit morceau de Paguid. Comme Hananai détestait le gaspillage, elle les ramassa, les roula en boule ensemble comme de la terre glaise et, avec la moitié de la boule, elle façonna d'abord une petite créature qui ressemblait de très loin à Kithal telle qu'elle avait été créée d'abord. Cela avait deux bras, deux jambes, cela se tenait debout, et c'était femelle. Dès que la main de Hananai l'eut déposée sur la terre, la créature se mit à frapper deux branches l'une contre l'autre, en fit jaillir des étincelles et alluma un feu.

« Hum, dit Hananai. Comment vais-je appeler cette créature ? » Elle décida de se donner le temps de la réflexion en modelant le second petit morceau et, parce qu'elle était Hananai, et soucieuse du bien-être de sa création, elle en fit une créature identique à la première, mais mâle comme Paguid, avec tout ce qui était nécessaire aux mâles. Dès que cela eut quitté la main de Hananai, cela se mit à chercher des racines et des noix.

« Hum, dit Hananai, ces créatures sont pleines de ressources ! » Et, pour voir ce qu'elles feraient, elle leur accorda la capacité de parler, et du doigt, à leur insu, les poussa un peu en direction l'une de l'autre. La créature femelle aperçut la créature mâle, alla à sa rencontre et lui proposa d'échanger des noix contre une place auprès de son feu, ce que la créature mâle accepta aussitôt.

« Eh ! bien, dit Hananai, il y a plus de bon sens dans ces petites créatures que dans tout Paguid et toute Kithal ! »

Et elle les appela Paalani, ce qui voulait dire en ancien paalao, « ceux-qui-se-tiennent-droit-pour parler ».

Après avoir créé les humains, Hananai fut saisie d'un léger remords en pensant à la colère qui lui avait fait métamorphoser Kithal et Paguid. Elle ne voulait pas revenir sur sa décision, mais elle décida de leur donner une chance : une seule nuit de l'année, la dernière de l'Hiver, alors que toute la nature s'apprête à renaître, karaï et agraï auraient la possibilité de comprendre et d'utiliser le langage humain. S'ils choisissaient de se parler alors, l'emprisonnement de Paguid et de Kital prendrait fin.

Tous les karaï et les agraï des montagnes se rappelaient d'une façon confuse leur nature divine, et ils étaient malheureux sans bien savoir pourquoi. Mais cela ne les empêchait pas d'être des ennemis mortels et de chercher toutes les occasions de se battre. Sans grand succès, puisque l'agraïllad ne peut voler dans les sous-bois du karaïker : ses ailes se prendraient dans les branchages, et surtout, l'air y est trop lourd. Et le karaïker ne peut escalader les pics escarpés où l'agraïllad fait son nid, parce qu'il suffoque au-dessus de la limite des neiges éternelles… Ils étaient condamnés à se haïr de loin, et leur haine n'en était que plus féroce. Quant à la dernière nuit de l'Hiver, s'ils se rencontraient à ce moment-là, ils l'employaient toujours à se crier des insultes auxquelles seul le lever du soleil mettait fin.

Les humains issus de la substance de Paguid et de Kithal croissaient et se multipliaient dans les plaines, le long des rivières et dans les collines de Paalu. Mais comme par un aimant, et sans savoir pourquoi, ils se sentaient attirés par Hanultellan, la Montagne Sacrée, et contemplaient avec nostalgie sa barrière étincelante au soleil couchant, en travers de l'horizon. Bientôt il s'en trouva parmi eux pour se rendre jusqu'au pied des montagnes, et jusque dans les forêts des plateaux, et plus loin encore sur les pentes dénudées jusqu'aux neiges éternelles – mais au-delà, comme les karaï, ils suffoquaient ou, comme les agraï, ils tombaient dans les chemins des airs – mais comme ils n'avaient pas d'ailes pour les soutenir, ils s'écrasaient au fond des crevasses et des précipices.

Et avec la fourrure du karaïker les hommes faisaient des vêtements et décoraient lances et boucliers; avec ses griffes et ses dents ils faisaient des colliers; ses nerfs et sa peau, ils les tendaient sur leurs tambours, le darkhonour au vrombissement entêtant et la maklatz qui pulse dans la nuit. Sa tête, ils la plaçaient sur un autel, au milieu de leurs tentes, ils allumaient entre ses mâchoires un feu qui ne devait jamais s'éteindre sous peine de mort et, au soleil levant, ils lui sacrifiaient des animaux de la forêt pour que la chasse leur soit propice.

Les dures plumes noires de l'agraïllad, les femmes les cousaient sur leurs armures qu'elles rendaient impénétrables ; son bec ornait la massue des femmes des chefs, et ses serres les colliers des filles des chefs. Les dures plumes rouges de sa queue, elles les montaient sur leurs instruments de musique : le daklat sur lequel les plumes bourdonnent avec la lamentation des hymnes funèbres, le batirik sur lequel elles tintent en harmonie avec les chants nuptiaux, le liadparal sur lequel elles frissonnent en soupirant des chansons d'amour. Et sur les pierres qu'on sortait parfois du gésier de l'agraïllad, avalées sans qu'il s'en rende compte lors d'un de ses festins féroces, les femmes sacrifiaient des petits animaux des champs, pour que la cueillette leur soit propice.

Et ainsi passa le temps. Les Paalani coururent d'abord dans les plaines de la rivière Ekzharat avec les tovik sauvages, puis ils firent alliance avec eux et, montés sur leur dos puissant, ils se rendirent jusqu'aux confins du continent. Quand ils eurent exploré tout le continent, entre l'océan et la barrière de Hanultellan, ils arrêtèrent de courir, transformèrent leurs tentes en huttes et en cabanes, et commencèrent à travailler la terre, à faire paître et à traire les petits aski, cousins sans corne des grands tovik. Mais souvent leur regard se levait vers le ciel pour suivre la course du soleil jusqu'à ce qu'il disparaisse derrière Hanultellan, une nostalgie incompréhensible leur gonflait le cœur, et un matin, n'y tenant plus, ils partaient pour l'un des villages bâtis sur les hauts-plateaux. Certains y restaient, d'autres revenaient dans les plaines, mais presque tous les Paalani faisaient ce pèlerinage au moins une fois dans leur vie.

Dans un de ces villages, près de la Grande Chute Pétrifiée, vivaient deux jeunes Paalani, nés du même père mais de mères différentes. La mère du garçon l'avait appelé Paguyn et la mère de la fille l'avait appelée Kithulai. La mère de Kithulai pêchait dans un torrent lorsqu'elle avait ressenti les premières douleurs de l'enfantement, et les premiers cris de Kithulai s'étaient mêlés à la clameur des eaux qui tombaient des sommets en écumant. La mère de Paguyn se trouvait dans la forêt et elle était en train de cueillir des baies : Paguyn était né à l'ombre d'un arbre. Mais ils étaient nés le même jour, à la même heure, et leurs mères trouvèrent au même instant le nom que chacun porterait jusqu'à ce que la terre se referme sur ses os, car en eux se trouvait l'essence autrefois morcelée de Paguid et de Kithal, qui s'était peu à peu rassemblée au fil des générations humaines, et, même si aucune des deux mères n'en avait conscience, c'était leur mémoire qui avait crié à travers la chair des deux nouveau-nés pour inspirer leurs noms.

Paguyn était aussi sombre de peau et de cheveux que Kithulai était rousse et dorée. Les yeux de Kithulai étaient aussi verts que ceux d'un karaïker dans l'ombre de la forêt, ceux de Paguyn noirs comme le ciel au-dessus des plus hauts sommets où plane l'agraïllad. Et ils grandirent ensemble, heureux d'être alnadi-lim, c'est-à-dire frère et sœur issus de deux mères, car ainsi chacun avait deux mères pour s'occuper de lui.

Déjà, enfant, la petite Kithulai avait une voix ronde et souple, qui devint la plus belle du village ; Paguyn était fort et agile, et il devint le meilleur danseur du village. Paguyn inventait des chansons, Kithulai les chantait en s'accompagnant du liadparal, du daklat ou du batirik. Kithulai inventait des histoires, Paguyn les dansait en s'accompagnant des tambours. Et ainsi prit-on l'habitude, au village et dans les environs, de les inviter toujours ensemble aux cérémonies et aux fêtes, si bien que personne ne pouvait plus imaginer Kithulai sans Paguyn ni Paguyn sans Kithulai.

Qui se lassa le premier d'être Paguyn-et-Kithulai ? L'histoire ne le dit pas. Mais peu à peu les histoires de Kithulai devinrent de plus en plus difficiles à raconter sous forme de danses, et les chansons de Paguyn devinrent de plus en plus difficiles à mettre en musique et à chanter. C'était comme si chacun avait tendu à l'autre un miroir où il le mettait au défi de se reconnaître. Aux fêtes et aux cérémonies où l'on venait de tous les alentours pour les voir et les écouter, c'était de moins en moins un spectacle, de plus en plus un combat. Bientôt on ne les invita plus pour les mêmes raisons : on avait aimé voir la façon merveilleuse dont ils se complétaient, mais maintenant on voulait savoir qui l'emporterait, de Kithulai ou de Paguyn.

Enfin, n'y tenant plus, ils se séparèrent, et chacun s'en alla vivre dans une retraite loin du village, Paguyn en ermite sur un des hauts-plateaux désertiques de Hanultellan, Kithulai en ermite au pied de Hanultellan, dans la forêt profonde. Seule avec son arc, Kithulai chassait l'agraïllad pour ses plumes sonores, et Paguyn, seul avec sa lance, chassait le karaïker pour faire les peaux de ses tambours. Mais ils avaient beau passer des heures en méditation, penchés sur leurs instruments à la peau bien tendue, aux plumes bien accordées, ils se rendirent compte, au fil des jours, qu'ils ne pouvaient plus rien en faire. Oh, les tambours de Paguyn n'avaient pas perdu leurs rythmes ! Mais les rythmes ne voulaient plus rien dire maintenant que les pieds de Paguyn étaient immobiles. Batirik, daklat et liadparal vibraient toujours sous les doigts de Kithulai, mais ils vibraient solitaires, puisque la voix de Kithulai était silencieuse. Kithulai inventait encore des histoires – mais il n'y avait personne pour les danser. Paguyn inventait encore des chansons – mais il n'y avait personne pour les chanter. Tout ce qu'ils pouvaient faire, c'était répéter ce qu'ils savaient d'autrefois, et chaque souvenir de danse, chaque souvenir de chanson, était comme une blessure...

Désespérés et assagis, ils quittèrent chacun leur retraite pour partir à la recherche de l'autre.

Soudain, dans la nuit, à un détour du chemin, alors qu'il descendait du haut-plateau et s'approchait de la limite de la forêt, Paguyn se retrouva nez à nez avec un karaïker. C'était un beau karaïker : les bandes alternées de son pelage rouge et noir étincelaient sous la lumière multicolore des lunes, et le réflexe de Paguyn aurait été de lever sa lance. Mais ce n'était pas un très gros karaïker. Plutôt un jeune de la Saison, et même un peu maigre, car on était à la fin de l'Hiver. Et ce n'était pas un karaïker bien menaçant, car il était couché sur le flanc et léchait avec insistance une de ses pattes de derrière, en gémissant par à-coups.

En voyant Paguyn, le karaïker essaya de se lever pour faire face, mais sa patte se déroba sous lui et il se mit à ramper de côté pour échapper à ce qu'il avait reconnu comme un chasseur. Il ne put aller très loin : des rochers escarpés lui barraient la route. Il se colla le long des pierres comme s'il avait voulu s'y fondre et ne bougea plus, la tête entre les pattes, les yeux fixés sur Paguyn, méprisant mais résigné.

Paguyn posa sa lance. C'était la dernière nuit de l'Hiver, celle où les karaï peuvent parler, s'ils le désirent, et comprendre le langage des humains. « Montre-moi ta patte, karaïker, dit Paguyn, je pourrai peut-être la soigner. »

Les yeux verts du karaïker s'arrondirent de surprise : « Pourquoi ferais-tu cela, moins-qu'un-arbre (c'était le nom que les karaï donnaient aux humains) ? Ma patte est cassée, je suis à ta merci. »

« Je n'ai pas besoin de peau pour mes tambours aujourd'hui, karaïker, dit Paguyn. Et quel honneur y aurait-il à achever une bête blessée ? » Aussi, mais il ne le dit pas au karaïker et il se le serait à peine avoué à lui-même, les yeux de l'animal lui rappelaient tellement ceux de Kithulai qu'il en avait le cœur serré de nostalgie.

La fracture était une fracture simple, facile à réduire. Paguyn avait dans sa sacoche des tendons d'agraïllad qui lui servaient pour ses pièges, et il les utilisa pour installer des attelles sur la patte brisée, avec des morceaux de branches. Quand il eut terminé, il alla chercher de l'eau au torrent et laissa son bol près du karaïker.

« Je ne me souviendrai pas forcément de toi quand la nuit sera terminée », dit le karaïker après avoir bu.

« Quand tu seras guéri, je ne te reconnaîtrai pas forcément non plus si nous nous rencontrons de nouveau, dit Paguyn. Mais je me souviendrai de cette nuit. »

« Retiendras-tu ta lance, alors ? »

« Peut-être. Retiendras-tu tes griffes ? »

« Peut-être. »

« Qu'il en soit ainsi, dit Paguyn. En attendant, je vais me reposer un peu ici avant de reprendre ma route. » Il avait en effet l'intention de marcher toute la nuit sous la lumière des lunes : la dernière nuit de l'Hiver est une bonne nuit pour voyager, on y voit comme en plein jour.

C'était aussi ce que pensait Kithulai en montant vers le plateau à travers la forêt. Soudain, alors qu'elle distinguait à travers les arbres l'orée d'une petite clairière, elle entendit un bruit singulier, comme de grandes voiles claquant dans le vent, puis un choc sourd ébranla le sol sous ses pieds. Ensuite, les battements reprirent, mais irréguliers et accompagnés de sifflements et de claquements secs. Kithulai se glissa au bord de la clairière, silencieuse sous les branchages. Un agraïllad se tenait sous la lumière multicolore des lunes, une aile noire battant par à-coups, l'autre pendant à terre. Il sifflait rageusement, et c'était son bec qui claquait, comme deux pierres l'une contre l'autre. Les plumes de ses ailes brillaient dans la lumière des lunes, cependant celles de sa queue étaient d'un rouge étincelant et, en d'autres temps, Kithulai aurait levé son arc sans réfléchir. Mais ce n'était pas un très gros agraïllad, plutôt un jeune, peut-être affamé car la nourriture est rare dans la montagne à la fin de l'Hiver. Il s'était laissé descendre trop bas, sans doute : arrivé au bout de l'invisible route aérienne qui l'avait porté depuis les sommets, il n'avait pas pu remonter, il était tombé comme une pierre, et maintenant, son aile était brisée...

En voyant Kithulai, l'agraïllad essaya de sauter vers les branches basses des arbres qui encerclaient la clairière, dans l'espoir sans doute de se hisser jusqu'au sommet et de s'échapper. Vain espoir. Si même il avait réussi, et même avec deux ailes intactes, l'air de la forêt aurait été trop lourd et trop immobile pour le porter. Le cœur de Kithulai se serra. Pourquoi pensait-elle soudain à Paguyn quand il dansait, à son corps souple et gracieux, luisant dans la lueur des torches ? Elle posa son arc et ses flèches à terre.

« Laisse-moi soigner ton aile, agraïllad », dit-elle – car elle savait que c'était la dernière nuit de l'Hiver, celle où les agraï peuvent comprendre le langage des humains.

Les yeux dorés de l'agraïllad s'arrondirent de surprise : « Pourquoi ferais-tu cela, moins-qu'une-pierre (c'était le nom que les agraï donnaient aux humains) ? De toute façon, l'air de la forêt va bientôt m'étouffer. Je suis à ta merci. »

« Je ne suis pas partie chasser aujourd'hui. Et quel honneur y aurait-il à tuer une bête blessée ? Je vais vers la montagne. Je pourrai construire un travois pour t'y emmener avec moi. »

Avec quelques-unes des lanières de cuir de karaïker qu'elle avait dans sa sacoche, Kithulai banda l'aile de l'oiseau. Puis avec le reste, elle fabriqua un travois, où elle aida l'oiseau à s'installer. Et, sous la lumière multicolore des lunes, elle reprit la route qui menait vers la montagne, en traînant le travois.

Bientôt la route sortit de la forêt et se mit à serpenter entre rochers et rocailles. L'agraïllad, qui respirait déjà mieux, changea de position sur le travois.

« Si je survis, et si nous nous rencontrons de nouveau plus tard, dit-il à Kithulai, je ne te reconnaîtrai sans doute pas. »

« Si nous nous rencontrons plus tard, je ne te reconnaîtrai peut-être pas non plus, répliqua Kithulai, mais je me souviendrai de cette nuit. En attendant, ne remue donc pas tant, le travois est déjà assez difficile à tirer. Et ne m'oblige pas à parler, j'ai du mal à respirer dans ton air. »

Ils arrivèrent ainsi, sous la lumière des lunes, au cirque de rochers où Paguyn se reposait avant de reprendre sa route. Kithulai poussa un cri de joie en voyant son frère et Paguyn en voyant sa sœur, et ils se tombèrent dans les bras en demandant chacun pardon à l'autre pour sa folie.

Cependant, en voyant le karaïker, l'agraïllad avait essayé de se dresser sur le travois. Et le karaïker, en voyant l'agraïllad, avait essayé de prendre lui aussi une posture de combat – sans plus de succès, car sa patte cassée l'empêchait de courir aussi sûrement que l'aile brisée de l'agraïllad l'empêchait de voler. À défaut de se battre – pour une fois qu'ils se rencontraient dans un territoire qui n'était ni trop haut dans les sommets ni trop bas dans la forêt ! – chacun se mit à rugir et à siffler à qui mieux mieux, poil hérissé, plumes ébouriffées.

« Taisez-vous donc ! dit Kithulai en se retournant vers eux, agacée, on ne s'entend plus ! »

« Ou parlez-vous, plutôt, dit Paguyn. Si Kithulai a pu s'entendre avec toi, agraïllad, et moi avec ce karaïker, et si nous avons pu nous réconcilier, Kithulai et moi, pourquoi ne pourriez-vous pas vous entendre, tous les deux, au moins une fois ? De toute façon, vous êtes pris pour rester là ensemble jusqu'à la fin de la nuit : avec Kithulai, nous avons trop de choses à nous dire, et puis, il faut que nous nous reposions avant d'emmener l'agraïllad plus haut dans la montagne. »

Kithulai tira le travois juste trop loin du karaïker pour qu'il puisse donner un coup de griffes à l'agraïllad, et juste trop loin pour que l'agraïllad puisse lui donner un coup de bec. Ensuite elle se tourna vers Paguyn en souriant : « Raconte, mon frère, ce que tu as appris dans la montagne, et je te raconterai ce que j'ai appris dans la forêt. »

Le karaïker et l'agraïllad s'étaient recouchés à leur place respective en grommelant. Et ils écoutèrent en grommelant ce que Paguyn et Kithulai avaient à se raconter. Puis, quand la sœur et le frère eurent terminé, le silence s'installa, troublé par le seul crépitement du feu qu'avait allumé Paguyn et où rôtissaient les noix et les tubercules que Kithulai avait emportés pour se nourrir pendant le voyage.

« J'aimerais tant pouvoir courir dans la neige blanche des sommets, dit enfin le karaïker d'une voix rêveuse. Comment est-ce, là-haut, agraïllad ? »

« Les volcans rougeoient au milieu des glaciers, comme un amour qui ne finit jamais. Quelquefois, quand les chemins d'air m'emportent vers le soleil, je vois des étoiles en plein jour et le ciel est si bleu qu'il en est presque noir. Mais j'aimerais tant planer dans l'ombre de la forêt... Comment est-ce, en-bas, karaïker ? »

« La terre est noire et profonde, et les arbres sont les racines du ciel. Parfois, quand je cours à travers la nuit, j'entends le cœur qui bat sous l'écorce du monde, comme un amour qui ne finit jamais... »

Kithulai sourit à Paguyn, et Paguyn à Kithulai. Ils mangèrent leur repas de noix et de racines, remirent ensemble du bois sur le feu et, dans les bras l'un de l'autre, ils s'endormirent, bercés par les confidences que l'agraïllad et le karaïker se faisaient l'un à l'autre.

Le lendemain matin, quand le soleil se leva, Paguyn aida Kithulai à tirer le travois jusqu'à la limite des neiges éternelles, où les compagnons de l'agraïllad le verraient et pourraient prendre soin de lui. Ils le quittèrent sans un mot, car l'agraïllad ne parlait plus le langage des humains et, lorsqu'ils repassèrent près de l'endroit où ils avaient laissé le karaïker, ils ne lui parlèrent pas non plus, mais ils renouvelèrent sa provision d'eau et lui offrirent la chèvre des montagnes qu'ils avaient tuée pour lui en redescendant. Après quoi, la main dans la main, ils redescendirent vers leur village, leurs chansons et leurs danses, sachant que rien ne pourrait jamais plus les séparer.

Et très haut dans Hanultellan, là où résidait alors Hananai, Kithal et Paguid s'agenouillèrent aux pieds de leur créatrice. «Eh! bien, leur dit-elle, de quoi voulez-vous être les Gardiens, à présent?»

«Des montagnes, dit Paguid sans hésiter, là où elles s'enracinent dans les profondeurs de la terre, là où le sang du monde coule encore.»

«Des montagnes, dit Kithal sans hésiter, là où elles touchent le ciel, là où elles s'ouvrent au soleil en précipices vertigineux.»

Hananai hocha la tête : «Les montagnes, dit-elle, là où le ciel et la terre s'aiment d'un amour qui ne finit jamais...» Elle sourit à Kithal et à Paguid : « C'est bien. Qu'il en soit ainsi jusqu'à la fin des temps.»

7

Il y a d'autres histoires de Paguyn et Kithulai dans les îles de Paalu, les îles des Chasseurs où j'ai vécu si longtemps. Mais je ne les raconterai sans doute pas ce soir. J'ai vu le regard d'avertissement que m'a lancé Menthilee. Ce que j'ai vécu dans les Îles, la vie cruelle des Chasseurs... non, ce ne sont pas des histoires pour les enfants, ou du moins pas encore : les jumelles ne partiront pas dans les Îles pour subir leur propre Chasse avant au moins six Saisons... Mais on peut commencer tout de même à les préparer, et je romps le silence :

« L'histoire de Paguyn et Kithulai est un conte très ancien, qui a subi des transformations incessantes au contact des populations hébao et aritnai. Il y en a des versions bien plus sanglantes : Paguyn et Kithulai rencontrent le karaïker et l'agraïllad à l'aube et se battent avec eux chacun de leur côté jusqu'à la nuit, par exemple, et c'est alors seulement qu'ils s'arrêtent et parlent ensemble. Ou bien Kithulai a été tuée par l'agraïllad, et c'est en cherchant son fantôme dans la forêt que Paguyn rencontre le karaïker. Mais quelle que soit la version de l'histoire, la fin est toujours la même : ils retournent ensemble dans leur village… »

Comme les adolescents qui partent pour leurs Grandes Chasses doivent en revenir vivants, mais sans avoir tué aucun Chasseur, pour mériter leur place dans le monde des adultes… Mais heureusement, ce n'est pas là le seul sens de l'histoire de Paguyn et Kithulai.

« Pourquoi pas une autre fin ? » dit Maroussia, qui se demande où je veux en venir.

« Parce que cette histoire est celle de Paguyn et Kithulai, qui finit bien », dis-je en souriant.

« Tout ne se finit pas forcément bien, en réalité, dans la vie », murmure Menthilee, et je sais à quoi elle pense. Je suis partie dans les Îles quand elle était toute petite, elle était plus vieille que ses filles quand j'en suis revenue ; elle m'a pardonné, mais elle n'a jamais oublié.

C'est aux jumelles que je m'adresse, cependant : « Ah, mais les histoires ne sont pas la réalité. Les histoires sont là pour nous rappeler qu'il y a plus et autrement que la réalité, ou sinon comment ferions-nous pour la transformer ? Les humains auraient pu exterminer les karaï et les agraï si les contes ne leur avaient pas rappelé que ce sont des créatures intelligentes et conscientes, même si ce n'est pas à notre façon. »

« Ils ont été des créatures intelligentes et conscientes, peut-être, dit Mirat. Il y a des centaines de milliers de Saisons de cela. Ils ne le sont certainement plus. Ou, en tout cas, pas comme les banki ou les tovik sont des créatures intelligentes et conscientes. Nous n'avons jamais pu réellement communiquer avec eux. »

« Nous n'avons jamais pu vraiment communiquer avec les arbres-Gomphali non plus, mais nous savons quand même qu'ils ont une forme d'intelligence », remarque Tinguem.

« À cause de l'histoire de Lileïniloo ? Tu exagères un peu, non ? De toute façon, ce n'est pas vraiment des Gomphali que parle cette histoire – pas comme celle de Paguyn et Kithulai parle des karaï et des agraï, en tout cas. L'arbre-Gomphal n'en est pas le véritable sujet. »

J'interviens : « Ça ne fait rien. Tout compte dans les contes » – je ne peux m'empêcher de sourire – « je dirais même que tout raconte. Chaque détail appartient à quelqu'un, vient de quelqu'un qui a pensé à l'ajouter ici ou là et pour qui ce détail signifiait quelque chose : le détail peut venir du fond des temps, ou de la dernière personne qui raconte l'histoire, mais il dit toujours quelque chose. C'est à nous d'essayer de retrouver ce qu'il veut dire, ou de lui réinventer un sens s'il vient vraiment de trop loin. »

« Ce que tu es en train de dire, Grand-mère Eilaï, remarque Maroussia, c'est que si je veux, je peux changer tous les détails d'une histoire quand je la raconte. Je pourrais très bien raconter celle de Paguyn et Kithulai en changeant la fin, alors. »

« Et d'où crois-tu que vient l'histoire de Merrim et Kalalu, qui elle aussi parle des agraï et des karaï et qui finit mal ? C'est une variante de celle de Paguyn et Kithulai. C'est ainsi que les histoires se créent, en se croisant entre elles, c'est-à-dire entre leurs conteurs et leurs auditeurs, et en se modifiant. Les histoires… sont comme des êtres humains, Roussia. Elles naissent de rencontres, elles se transforment de rencontres, elles vivent et meurent de rencontres. »

« Raconte Lileïniloo », dit la voix de Tika, surprenant tout le monde : il s'est réveillé dans les bras de Mirat.

« Je connais quelqu'un qui devrait être au lit », remarque sa mère.

« J'ai dormi ! » proteste le petit en ouvrant bien grand les yeux pour montrer qu'il est réveillé et dispos.

« Va pour Lileïniloo », dit Mirat, indulgent.

Je me carre dans mon fauteuil : « Ceci est l'histoire qu'on racontait dans les collines des Hébao, au pied des Montagnes Rouges, au temps où aucun d'entre eux n'avait jamais vu la plaine ni l'océan de l'Ouest… »

8

Histoire de Lileïniloo

Le clan de Lileïniloo vivait dans les hautes collines, à l'ouest des Montagnes Rouges. C'était un petit clan, guère plus d'une vingtaine de personnes. Ils n'avaient qu'à tendre le bras pour cueillir des fruits et des noix, et les poissons étaient si nombreux dans les ruisseaux qu'ils pouvaient en attraper de la main droite et de la main gauche en même temps. Les arbres leur offraient écorce, feuilles et lianes pour leurs vêtements et leurs huttes, et des branches mortes pour leurs feux ; les herbes et les autres plantes leur procuraient teintures et remèdes : la forêt était leur mère et leur père, comme pour tous les Hébao, et elle leur donnait tout ce dont ils avaient besoin. Leur vie était simple et facile, et leurs jours coulaient sans soucis.

Comme chacune et chacun, lorsque Lileïniloo fut en âge de se livrer à la cueillette, elle quitta la clairière du clan et partit à la recherche d'un espace que nul n'avait encore exploré dans la forêt. Quand elle l'aurait trouvé, elle installerait dans les buissons et les branches basses des arbres de petites statuettes de l'oiseau qui était son totem et aussi son nom, la huppette brillante, puis elle recenserait les arbres, les plantes et les animaux de ce coin de forêt, apprendrait à en connaître toutes les propriétés et en deviendrait la gardienne. De là elle rapporterait de quoi nourrir, vêtir ou soigner les autres membres du clan, ou de quoi échanger avec d'autres clans voisins.

Mais Lileïniloo était la plus jeune de son clan : au nord de la clairière, elle trouva les statuettes-totems de sa mère et de ses tantes ; au sud de la clairière, celles de son père et de ses oncles ; à l'est de la clairière, celles de ses sœurs et de ses cousines ; et plus loin vers l'est, à une demi-journée de marche, celles de ses frères et de ses cousins. Elle revint vers la clairière du clan, découragée. Plus loin, au-delà des territoires dont les membres de son clan étaient les Gardiens, à une journée de marche vers le nord, le sud et l'est, elle savait qu'elle rencontrerait les statuettes-totems des membres des clans voisins. Où trouverait-elle sa place dans la forêt ?

« À l'ouest ! » dit Tikarek, descendant des genoux de Mirat pour s'asseoir dans la niche parmi les petits de Pilip, qui se sont poussés pour lui faire de la place.

Je me tourne dans mon fauteuil pour lui répondre : « Mais aucun Hébao ne pouvait être gardien de la forêt de ce côté-là. C'était là qu'on déposait les morts, les morts étaient les Gardiens de l'Ouest. Seul le soleil pouvait aller les visiter sans danger – et encore !… il lui fallait toute la nuit pour en revenir ! »

Lileïniloo était plus que découragée, elle était désespérée : comment pourrait-elle rester dans son clan si elle n'avait pas de place dans la forêt ? Quel autre clan l'accepterait en mariage ? Elle ne pourrait jamais non plus bâtir sa propre hutte pour y accueillir le jeune homme qui serait le père de ses enfants. Si elle ne trouvait pas dans la forêt une place dont elle pouvait être la Gardienne, autant aller tout de suite au pays des morts et débarrasser son clan d'une bouche inutile !

Lileïniloo distribua donc ses minces possessions parmi les membres de son clan, se peignit le corps des signes des morts et partit en direction de l'ouest sans se retourner.

Elle trouva la forêt étrange, du côté de l'ouest, d'abord parce que son regard ne cessait de chercher, sans les trouver, les familières statuettes-totems dans les buissons et sur les branches. Et surtout, elle s'attendait toujours à rencontrer l'esprit des morts au détour d'un arbre (les restes des morts, on ne les voyait pas : ils ne duraient pas très longtemps dans la forêt). C'était étrange de constater que les arbres et les plantes du pays des morts étaient les mêmes qu'au nord, au sud et à l'est, et que les bruits du pays des morts étaient les mêmes que ceux de la forêt des vivants : le bourdonnement des insectes, les sifflements ou le cliquetis des oiseaux, le murmure des feuillages... Au bout de trois heures de marche, Lileïnillo devait faire un effort pour se rappeler qu'elle marchait au pays des morts. Au bout de six heures de marche, elle devait faire un effort pour se rappeler qu'elle devait se rappeler. Et au bout de douze heures de marche... elle arriva dans la prairie.

Ou plutôt elle se dit avec un sursaut de terreur qu'elle devait être vraiment arrivée au pays des morts. Depuis un moment, dans la forêt, les plantes et les buissons étaient différents, les arbres étaient moins hauts, moins serrés, il s'en trouvait plusieurs variétés qu'elle ne connaissait pas, et de plus en plus souvent elle voyait le ciel entre leurs frondaisons. Et voilà que tout à coup, à travers la dernière rangée d'arbres, elle pouvait apercevoir une vaste étendue bleue, incroyablement plate et mouvante, où se dressaient ici et là ce qui aurait pu être des arbres, mais si petits, si bas, qu'on aurait plutôt dit des buissons !

Lileïniloo s'accroupit dans l'ombre du dernier arbre de la forêt, terrifiée, et attendit que les morts viennent à sa rencontre. Mais le reste de la journée passa, et le soleil traversa le ciel au-dessus du grand vide plat et bleu pour finalement y disparaître, sans qu'aucun esprit ne se présente pour venir la chercher.

Lileïniloo se rendit compte qu'elle avait bien faim. Elle retourna donc dans la forêt et cueillit quelques fruits, en s'attendant à chaque instant à ce qu'un esprit courroucé apparaisse. Mais il n'arriva rien que la nuit. Lileïniloo se coucha donc sous le dernier arbre de la forêt et regarda le ciel s'allumer d'étoiles au-dessus du vaste espace vide et maintenant noir. Elle savait ce qu'étaient le ciel et les étoiles – même dans la forêt, on peut les voir, il suffit de grimper assez haut dans un arbre – mais elle n'en avait jamais vu autant à la fois, et cela lui donnait un peu le vertige. Qu'allait-elle faire, maintenant ? Elle n'avait pas pensé que les morts habitaient si loin. Devait-elle rester là à attendre qu'ils se rendent compte de sa présence ? Ou bien devait-elle continuer son voyage ? L'idée de marcher dans ce grand espace bleu vide et mouvant, directement sous le ciel, sans la rassurante présence des feuillages au-dessus de sa tête, ne lui disait pas grand chose non plus... Mais bientôt, comme elle était fatiguée de son voyage, elle s'endormit – et aucun esprit ne vint la visiter dans ses rêves.

Le lendemain matin, le grand espace qui s'ouvrait devant elle était toujours aussi plat, aussi bleu et aussi mouvant. Et comme Lileïniloo était curieuse malgré tout, elle sortit de l'ombre de la forêt pour aller y voir de plus près. Et quelle surprise ! C'était de l'herbe. Une herbe beaucoup plus haute que celle de la forêt, et qui n'était pas verte – ou du moins, d'un vert très différent, presque bleu –, mais enfin, de l'herbe... Il y avait toute une variété de plantes dans cette herbe : des plantes aux feuilles piquantes et des plantes aux feuilles odorantes, des plantes qui s'accrochaient aux autres et des plantes qui tenaient toutes seules, des plantes qui faisaient des graines et des plantes qui faisaient des fruits, et aussi, tout simplement de l'herbe, aux longues tiges un peu sucrées quand on en mâchait un bout, aux brins larges et vernis sous le soleil. Et il y avait des insectes dans ces plantes – inconnus de Lileïniloo, mais elle pouvait reconnaître que c'étaient des insectes – quelques-uns étaient même de superbes papillons multicolores. Et il y avait sûrement quantité d'animaux qu'elle ne pouvait voir, cachés dans les herbes hautes... Ma foi, c'était comme dans la forêt, d'une certaine façon ! Ce pays des morts était simplement plus varié que celui de la forêt.

C'était étrange, cependant : depuis qu'elle avait commencé son voyage, n'aurait-elle pas dû rencontrer des esprits ? Certes, ils pouvaient se rendre invisibles, mais comment se faisait-il qu'aucun d'entre eux n'ait pris ombrage de l'intrusion d'une mortelle dans leur domaine ? Était-ce à dire qu'elle ne les dérangeait pas ? Qu'ils l'acceptaient ?

Et soudain une idée encore plus étrange vint à Lileïniloo : peut-être, après tout, ne se trouvait-elle pas du tout au pays des morts ? Et dans ce cas... elle pourrait revenir à la clairière de son clan et leur raconter ce qu'elle avait trouvé à l'ouest, la forêt sans aucune statuette-totem, et surtout le grand espace bleu et mouvant de l'herbe, ouvert sous le soleil... Il fallait lui trouver un nom, et Lileïniloo lui en inventa un sur le champ, « Eïtyrhondal », qui voulait dire exactement cela, « la clairière bleue et mouvante », car le langage hébaë n'avait pas de mot en ce temps-là pour dire « plaine ».

Elle se construisit une petite hutte à la bordure de la forêt. Dormir sans un toit sur la tête la mettait trop mal à l'aise, et de toute façon, en attendant de trouver ce qui était mangeable dans la plaine bleue, elle devrait se nourrir dans la forêt. Car avant de retourner auprès de son clan, il lui fallait examiner les plantes, les insectes et les animaux, se faire une idée de leurs propriétés et de leurs comportements : alors seulement elle serait peut-être digne un jour d'en devenir la gardienne.

Les premiers jours de Lileïniloo dans la prairie herbeuse furent encore plus étranges pour elle que son voyage à travers la forêt de l'ouest : comme tous les Hébao, elle avait l'habitude de vivre dans un espace bien identifié, et les statuettes-totems avaient toujours été là pour lui dire où elle se trouvait dans la forêt. Et même la forêt sans statuettes-totems, c'était encore la forêt : Lileïniloo savait comment s'y retrouver, car il y a toujours quelque chose de différent pour retenir l'attention – la forme de ce tronc, la disposition de ces buissons, et même l'odeur de telle ou telle plante qui pousse ici et pas là. Mais une fois entrée dans la plaine bleue, où les herbes lui arrivaient presque aux épaules, comment se repérer dans leurs vagues toujours en mouvement ? Même lorsque le vent était si léger que Lileïniloo le sentait à peine sur sa peau, les herbes s'inclinaient et se redressaient, comme si elles avaient suivi le respir de la terre elle-même. Il y avait eu du vent, parfois, dans la forêt où était née Lileïniloo, mais c'était seulement lors des orages d'Automne et de Printemps. Le reste du temps, rien ne venait déranger la somnolence tiède des feuilles et des lianes, sauf quand les banki se poursuivaient en sifflant de branche en branche, effarouchant les oiseaux qui s'envolaient dans un grand brouhaha d'ailes multicolores... Tout était si différent ici, les odeurs, les couleurs, les sons, les mouvements de l'espace... Il faudrait apprendre d'autres points de repère, plus généraux et plus distants que dans la forêt : la place du soleil dans le ciel par rapport à l'horizon bleu ou à la ligne sombre de la forêt, ou encore, ici et là, les rares silhouettes des arbres qui trouvaient moyen de pousser malgré l'omniprésence des herbes.

La plupart étaient reconnaissables comme des arbres, au moins, une fois passée la première surprise de les trouver si petits : ils avaient des troncs, des branches, des feuilles, des fruits – que ce soient les graines immangeables du nairal, ou les petites baies acides, mais comestibles, de l'uldiga. Il y en avait pourtant une variété que Lileïniloo avait de la peine à concevoir comme des arbres. En fait, en en voyant un de loin la première fois, elle ne sut qu'en penser : une grosse boule duveteuse, blanche, arrondie au-dessus des herbes. En approchant et en écartant les herbes, elle constata que la boule reposait sur quelque chose qui ressemblait à un tronc, pas très haut, avec des racines apparentes, et qu'il y avait bien ce qui ressemblait à des branches à travers les filaments duveteux constituant la boule. L'ensemble était haut à peu près deux fois comme Lileïniloo, la boule commençait à la hauteur de son menton et il aurait fallu quatre Hébao pour en faire le tour, bras écartés.

Déconcertée, Lileïniloo tendit la main pour prendre quelques-uns des filaments duveteux... et l'écarta vivement avec un petit cri de surprise : il y avait eu comme un picotement dans ses doigts, pas vraiment douloureux mais désagréable, et curieusement familier. Elle observa sa main, inquiète : cet arbre étrange se défendait-il par des poisons ? Mais rien n'apparut sur sa peau, pas même une rougeur.

À ce moment-là, un gros nuage noir cacha le soleil. Et les filaments duveteux s'illuminèrent dans la pénombre soudaine, à la grande surprise de Lileïniloo, qui se rappela alors quand elle avait déjà éprouvé le même genre de picotement : c'était le jour où, toute petite, elle avait essayé d'attraper à mains nues une anguille-qui-pique. Le choc avait contracté tous ses muscles, et sa mère lui avait expliqué ensuite : ces anguilles-là ne piquaient pas comme les épines des ronces ; c'était une force invisible, qui devait être l'esprit même de l'animal car elle disparaissait lorsque l'anguille était morte. Il fallait prendre ces anguilles avec des filets ou les transpercer d'une flèche, mais ne jamais les toucher quand elles étaient encore vivantes, surtout quand on était dans l'eau. Lileïniloo avait eu de la chance : c'était seulement un bébé-anguille qu'elle avait essayé d'attraper...

Mais sûrement, ce n'était pas une anguille que Lileïniloo avait touchée lorsqu'elle avait effleuré les filaments lumineux, c'était... quelque chose qui avait plutôt l'air d'être un arbre !

Comme Lileïniloo n'avait aucun moyen de résoudre cette énigme, elle continua ses examens des herbes de la prairie. Puis, quand le soleil commença à baisser dans le ciel, elle rebroussa chemin pour revenir à sa hutte.

Et s'aperçut que la boule duveteuse avait changé de place.

Lileïniloo s'installa dans sa hutte pour observer, bien résolue à en avoir le cœur net.

Lorsque le soleil commença à disparaître à l'horizon bleu de la plaine, l'arbre, ou l'animal, avait encore changé de place. Il était maintenant plus près de la hutte de Lileïniloo. Et pourtant, elle avait eu beau le regarder sans jamais détourner les yeux, elle ne l'avait jamais vu bouger. Il devait se déplacer très lentement, comme un escargot.

Mais alors, était-ce une plante, ou un animal ?

Le lendemain matin, Lileïniloo retourna examiner le phénomène de plus près. Le tronc, à vrai dire, ne ressemblait pas vraiment à un tronc : chaud et souple, couvert de minuscules écailles vertes, comme les racines... Et quand on les observait pendant un long moment, on voyait que les racines n'étaient pas enfoncées dans le sol mais se trouvaient en surface et remuaient, très lentement.

Lileïniloo leva les bras au ciel : «Mais qu'est-ce que c'est que ça ? Une plante qui bouge ? Un animal avec un tronc et des racines ? »

Et, alors qu'elle s'apprêtait à s'en aller sans en avoir appris davantage, elle entendit une voix, comme un soupir, qui disait : « Je suis... »

Elle se redressa pour chercher autour d'elle, mais il n'y avait personne.

«... un Gomphal », reprit la voix, toujours chuchotante.

Lileïniloo chercha de nouveau dans les herbes, mais il n'y avait toujours personne.

«... ni un animal... », reprit la voix.

Lileïniloo s'immobilisa, les mains sur les hanches, les sourcils froncés. Cette voix était vraiment étrange, comme si elle n'était venue de nulle part. En fait, Lileïniloo n'était pas tout à fait sûre de l'*entendre*...

«... ni une plante... », dit encore la voix – et cette fois, Lileïniloo, qui faisait attention, eut la certitude que ce n'étaient pas ses oreilles qui l'avaient perçue.

Je suis un Gomphal, ni un animal ni une plante...

Elle réalisa avec un sursaut que cette phrase était la réponse à sa question – sauf qu'elle n'avait posé la question à personne, bien entendu, même si elle l'avait prononcée à haute voix.

« Est-ce toi qui me parles ? » demanda-t-elle enfin, incrédule, dans la direction générale de la boule lumineuse.

Elle attendit un moment, puis un autre, et un troisième. Et enfin le chuchotement reprit à l'intérieur de sa tête : *Oui…*

Et c'est ainsi que Lileïniloo devint l'amie d'un arbre-Gomphal.

9

« C'est tout ? » proteste Mirat en constatant que je ne continue pas. « Il me semblait que c'était plus long. »

« C'est la version la plus ancienne, je l'ai dit. Elle date du temps où les Hébao vivaient seulement dans les forêts de l'Ouest au pied des Montagnes Rouges. »

« Et ce n'est pas vraiment l'histoire de Lileïniloo, remarque Tinguem. C'est l'histoire du temps où les Hébao ont commencé à s'installer dans les Plaines Bleues. Ils étaient trop nombreux pour continuer à vivre dans la forêt… »

« Et c'est l'histoire de leur découverte des arbres-Gomphali », ajoute Maroussia.

« Mais l'histoire de Lileïniloo, c'est quoi ? » demande Tikarek, agacé.

« L'autre histoire de Lileïniloo, ou la deuxième partie de son histoire, date de beaucoup plus tard,

après l'ouverture du défilé de la Hache, après les
premières conquêtes paalani, et même après la
grande bataille de Hanatsan où pour la première
fois les armées d'Aritu ont fait face aux armées de
Paalu en bataille rangée et arrêté pour un temps
l'expansion directe des Paalani vers l'ouest. Les
Hébao avaient bien changé entre-temps. Et je ne
suis pas sûre que ce soit seulement l'histoire de
Lileïniloo non plus. Les contes ont une façon bien
à eux de parler de plusieurs choses à la fois... »

▲　▲　▲

Lileïniloo avait pensé retourner auprès de
son clan pour raconter ce qu'elle avait trouvé
au-delà de la forêt, mais elle se rendit bientôt
compte qu'elle n'y retournerait pas de sitôt.
C'était difficile d'établir des limites dans la
prairie et de se dire « je vais jusque-là, et pas
plus loin », surtout quand on était comme elle
curieuse des plantes et des animaux qui s'y
trouvaient : il y avait toujours une plante
inconnue juste un peu plus loin, ou un arbre,
ou bien Lileïniloo voyait voler au-dessus des
herbes un nouvel oiseau, et il lui fallait abso-
lument en savoir plus long sur lui et ses con-
génères...

Bientôt, elle dut agrandir sa hutte pour y
ranger toutes les variétés de plantes qu'elle
avait cueillies et fait sécher et les dessins
d'animaux qu'elle avait tracés, avec soin et

patience, sur des morceaux d'écorce collectés dans la forêt. Et à vrai dire, chaque fois qu'elle parlait avec l'arbre-Gomphal, elle se demandait si elle retournerait jamais auprès de son clan. Le Gomphal était vieux : il était allé jusque dans le nord de Hébu et il en était revenu ; il avait vu tant de choses ! Lileïniloo n'avait jamais pensé que le monde puisse être si vaste et si varié, et parfois, elle avait bien envie de continuer à marcher à travers la plaine bleue, jusqu'à la Grande Rivière, pour voir elle-même toutes les merveilles décrites par le Gomphal – des *villes* faites de *pierre*, des *bateaux* pour voguer sur l'eau ! Cela lui faisait bien un peu peur aussi, mais si elle avait survécu au pays des morts (même si elle ne pensait plus vraiment que c'était le pays des morts) et si elle était capable de vivre à présent dans la prairie tellement différente de la forêt, elle n'avait sans doute pas grand chose à craindre des étrangetés décrites par le Gomphal.

Lileïniloo aimait ses conversations avec le Gomphal, même si le temps des Gomphali ressemble plus à celui des plantes qu'à celui des animaux : il fallait lui parler lentement, et chaque réponse du Gomphal s'étirait ensuite sur de longues heures. Mais Lileïniloo n'y voyait pas d'inconvénient : quand sa journée dans la prairie était terminée, elle lui parlait de ses découvertes, posait des questions, puis attendait les réponses. Cela pouvait prendre une grande partie de la nuit, mais c'était toujours très instructif : pendant ses années de voyage, aussi bien pour aller vers le nord que pour en revenir, le Gomphal avait eu le temps de bien observer les plantes et les animaux rencontrés au passage, en particulier ceux de la prairie bleue où il était né et où il était revenu pour avoir ses petits.

Il s'était arrêté non loin de la hutte de Lileïniloo, en dehors de l'ombre perpétuelle de la forêt, bien entendu, mais dans la zone intermédiaire où l'herbe de la prairie ne poussait pas encore vraiment. Était-ce parce qu'il trouvait la conversation de Lileïniloo intéressante, ou l'emplacement était-il celui qu'il avait cherché pendant toutes ses errances depuis son retour du Nord ? Elle n'en savait rien, mais elle était reconnaissante d'avoir sa compagnie. Il y avait maintenant autour du Gomphal un espace circulaire où aucune herbe de la prairie ne poussait, mais où étaient apparues d'autres sortes de plantes que Lileïniloo n'avait vues nulle part ailleurs : une sorte de mousse vert tendre, des petites fleurs blanches à quatre pétales et au cœur rosé, de fins champignons noirs en forme de flûtes... Même les insectes étaient différents sous le Gomphal. Il constituait un monde à lui tout seul, avec sa propre faune et sa propre flore : elles vivaient grâce à lui et l'aidaient aussi à vivre. Le soir, Lileïniloo s'asseyait là avec son repas, entre les racines maintenant enfoncées dans la terre nourricière, racontait sa journée, puis écoutait les histoires du Gomphal en regardant le soleil se coucher à l'horizon de la plaine bleue.

C'était une vie paisible, et Lileïniloo y trouvait bien du plaisir, quand un soir, en rentrant, elle vit qu'il y avait des trous dans le toit de sa hutte et que les parois en étaient de travers. Et la boule duveteuse du Gomphal, au lieu d'être bien ronde comme à l'accoutumée, était toute déformée, aplatie à droite, étirée en pointe à gauche.

Elle remarqua aussi que dans la prairie, devant sa hutte, il y avait de grands espaces où l'herbe semblait avoir été foulée comme par des pieds gigantesques.

« Qu'est-il arrivé ? » demanda-t-elle.

Je ne sais pas, répondit le Gomphal (j'accélère sa réponse pour les besoins de l'histoire), *je n'ai rien vu. Un moment tout était normal, l'instant d'après, c'était comme maintenant.*

Lileïniloo répara le toit en attachant mieux les palmes et remit les parois d'aplomb en renforçant les troncs qui les tenaient. Puis elle alla se coucher, perplexe et inquiète : si c'était là une manifestation des esprits des morts, elle prenait une forme bien curieuse et, surtout, elle était bien tardive...

Le lendemain matin, tout était rentré dans l'ordre. L'herbe s'était redressée, et le Gomphal avait mis de l'ordre dans ses filaments lumineux.

Le lendemain soir, cependant, quand Lileïniloo revint de sa journée dans la prairie, la hutte avait de toute évidence encore été secouée, le Gomphal était de nouveau tout déformé, aplati en avant, étiré en pointe en l'arrière – et les mêmes marques de pas géants aplatissaient les herbes autour de lui.

Je n'ai rien vu, dit de nouveau le Gomphal, *mais c'est agaçant.*

Lileïniloo répara la hutte, puis elle rassembla des herbes sèches, y fit brûler des cosses de tinganod, se purifia de leur fumée sacrée et fit un sacrifice de graines et de fruits aux esprits des morts. Elle n'était toujours pas sûre que c'était eux qui venaient rôder ainsi autour de sa hutte, mais un petit sacrifice ne pouvait pas faire de mal, n'est-ce pas ?

Le lendemain matin, l'herbe s'était redressée, un peu moins bien là où elle avait été écrasée deux fois, et la boule duveteuse du Gomphal était de nouveau bien ronde... Mais le lendemain soir, elle était toute hérissée de pointes et ressemblait plus à un poisson-ballon qu'à la boule d'un Gomphal ! Les traces de pas géants étaient revenues dans l'herbe qui, cette fois, ne s'en remettrait sûrement pas. La hutte était à peu près intacte, au moins.

Juste une palme rebroussée ici ou là, rien de grave – mais tout de même !

Il faut que ça cesse, dit le Gomphal, *j'ai autre chose à faire qu'à me peigner toutes les nuits ! Le temps approche où je devrai avoir mes premiers petits.*

« Je vais voir ce que je peux faire », assura Lileïniloo, à la fois effrayée et irritée. Quel que fût l'être invisible, elle n'allait sûrement pas le laisser tourmenter son ami et abîmer la prairie, sans parler de sa hutte à elle ! Le lendemain matin, elle se mit donc en embuscade dans sa hutte, en écartant un peu deux troncs pour bien voir le Gomphal et les alentours.

Le soleil se leva, étirant l'ombre de la forêt sur la boule lumineuse de l'arbre. Puis l'ombre retourna dans la forêt à mesure que le soleil montait, et le Gomphal cessa de briller. Ensuite, il n'y eut rien de bien excitant à part le passage des nuages qui faisaient courir des ombres dans les herbes, et des oiseaux-padpit qui voletaient çà et là à la recherche de fruits mûrs pour leur première portée de petits. Dans la chaleur de la journée, Lileïniloo devait se pincer de temps en temps pour se tenir éveillée.

Puis le soleil se mit à baisser, les ombres s'allongèrent dans les herbes. Il faisait plus frais, et Lileïniloo s'étira dans sa hutte, déçue : il ne s'était rien passé, la boule du Gomphal se trouvait à sa place et dans sa forme habituelle...

Mais soudain, du fond de l'horizon, une vague d'ombre déferla vers la lisière de la forêt, aussi rapide que l'éclair, mais un éclair sombre : c'était le souffle de la présence invisible qui passait sur la prairie. Autour de la hutte de Lileïniloo, les herbes s'agitèrent d'abord follement, secouées de tous côtés, tandis que les oiseaux-padpit s'envolaient de leurs nids en piaulant de terreur. Presque en même temps, de grands trous sombres apparurent alentour, les pas de l'être invisible, et ils se dirigeaient vers l'arbre-Gomphal.

Lileïniloo, n'écoutant que son courage, sortit en hâte de sa cachette et courut se planter devant l'arbre-Gomphal. Un souffle chaud la poussa contre le tronc de l'arbre, lui arracha sa jupe d'herbe et fit voler ses cheveux dans sa figure, l'aveuglant à moitié.

« Je suis Lileïniloo », s'écria-t-elle – à travers ses cheveux . « Qui s'invite ainsi chez moi sans m'avoir dit son nom ? »

Un éclat de rire l'enveloppa en même temps qu'un tourbillon d'air chaud.

« Je suis Pyan-Dzaïri, le Gardien du Vent », dit une voix amusée.

« Je ne connais pas de Pyan-Dzaïri. Pourquoi te croirais-je ? » répliqua Lileïniloo sans se laisser démonter. « Tu n'es même pas assez courageux pour te montrer ! »

« Tu ne manques pas d'audace, petite humaine, dit la voix. Mais au moins, tu es plus rapide que ton ami le Gomphal ! »

Un nouveau tourbillon d'air chaud fit voler les cheveux de Lileïniloo, et elle ferma les yeux. Quand elle les rouvrit, un jeune homme se tenait devant elle. Il était plus grand que tous les Hébao qu'elle avait jamais vus, ses cheveux n'étaient ni lisses, ni noirs mais couleur d'herbe sèche, et ils entouraient son visage comme une auréole mousseuse. Sa peau n'avait pas non plus la belle couleur brun-olive des Hébao qui s'harmonise si bien avec le feuillage de la forêt : elle était couleur d'argile rouge après la cuisson, et il y poussait quantité de poils dorés, sur la poitrine, sur les bras, sur les jambes ! Mais ses yeux étaient verts, éclatants comme les pousses tendres au Printemps, et à cause d'eux Lileïniloo trouva l'homme un peu moins laid.

« *Hum ! Pyan-Dzaïri ressemble terriblement à un Aritnao* », remarque Maroussia, amusée.

« *Qui crois-tu que les Hébao ont rencontré quand ils ont commencé à migrer vers l'ouest ?* » réplique Tinguem.

« *Chut !* » proteste Tikarek avec sévérité, du fond de son nid de banki.

Le jeune homme croisa les bras et répéta : « Je suis Pyan-Dzaïri, le Gardien du Vent. Me crois-tu, maintenant ? »

« Pourquoi te croirais-je ? » répéta, elle aussi, Lileïniloo. Elle écarta sa chevelure de son visage et ramassa sa jupe d'herbe pour l'examiner. Elle était complètement détruite, il faudrait en faire une autre. « Un vrai Gardien ne laisserait pas sa charge lui échapper ainsi ! »

Le pauvre Vent aurait bien voulu échapper à Pyan-Dzaïri ! Depuis les rives du Luleïtan, le lac au-dessus de l'océan de l'Ouest, Pyan-Dzaïri l'avait poussé devant lui toute la journée pour se distraire, le harcelant sans jamais lui laisser le temps de se reposer. Mais le Vent ne pouvait rien dire, bien entendu. Pyan-Dzaïri haussa les épaules : « Quoi, m'échapper ? C'était juste une farce. Il n'y a pas eu grand mal : un peu d'herbe pliée, un Gomphal ébouriffé... »

« Pas grand mal ? L'arbre-Gomphal a besoin de toute son énergie pour faire ses petits. Lui en restera-t-il assez, crois-tu, si ton Vent vient le tourmenter tous les soirs ? Quant à l'herbe... »

Lileïniloo prit le bras de Pyan-Dzaïri et le traîna vers un des endroits où l'herbe avait été écrasée pour la troisième fois et ne se relèverait plus. Les fleurs grimpantes du malilo saignaient violet sur les tiges cassées, les graines légères du mokdraas, répandues avant d'être mûres, se recroquevillaient déjà sur les brins d'herbe déchiquetés. Lileïnilo ramassa quelques fragments de coquilles tout visqueux. « Dans ton herbe "un peu pliée", il y avait une colonie de padpit. Mais il n'y en aura pas la Saison prochaine ! »

Pyan-Dzaïri resta silencieux. Que dire ? Il avait trouvé drôle de se servir du Vent pour décoiffer l'arbre-Gomphal, qui était trop lent pour voir son tourmenteur et comprendre ce qui lui arrivait ; il n'était jamais resté pour examiner les conséquences de son passage...

Il contempla Lileïniloo, ses yeux étincelants, sa chevelure qui coulait comme de l'eau sur son corps lisse et nu. Elle était bien belle, cette petite humaine. Et en plus, elle avait raison.

« Que pourrais-je faire pour être pardonné ? » dit-il, honteux.

Lileïniloo réfléchit : « Pour commencer, tu pourrais souffler moins chaud. Et ensuite apporter un peu plus de pluie à la prairie, et plus souvent. Et au fait, ne pas changer dix fois de direction dans la même journée. »

Pyan-Dzaïri baissa la tête ; il n'allait quand même pas avouer à Lileïniloo qu'il était encore bien jeune et bien inexpérimenté. Quand Hananai lui avait demandé de quoi il voulait être le Gardien, il avait choisi le Vent, parce qu'il aimait tout ce qui va vite. Mais à part chasser le Vent devant lui quand il avait envie de s'amuser, il ne savait pas trop quoi faire avec. La plupart du temps, il le laissait souffler n'importe comment et n'importe où. C'était d'ailleurs pour cela que les Hébao vivaient dans la forêt : sous la protection des arbres, les caprices du Vent étaient moins perceptibles.

« Je m'en souviendrai, petite humaine », dit-il.

Et c'est ainsi que Pyan-Dzaïri devint véritablement le Gardien du Vent. Avec lui, il cueillit au-dessus de l'océan la pluie fertile et la répandit sur les Plaines assoiffées. Il passa avec lui sur les glaciers du Bout du Monde et en revint avec une fraîcheur bienvenue pour les herbes épuisées de l'Été. Et il prit l'habitude de faire avec lui sa ronde toujours du même côté entre le golfe du Luleïtan, la Grande Rivière, les collines du Hleïtan et les Montagnes Rouges. Et chaque fois qu'il passait le long de la forêt, il s'arrêtait pour saluer l'arbre-Gomphal entouré de ses premiers petits – mais surtout pour rendre visite à Lileïniloo. Pour lui plaire, il apprit à se faire doux sur les fleurs de la prairie et à porter d'un souffle constant les oisillons qui essayaient leurs ailes neuves. Il apprit même les vertus de la lenteur, autant de l'arbre-Gomphal que de Lileïniloo, qui pouvait rester des heures à regarder une fleur s'ouvrir...

Comme il prenait maintenant au sérieux son rôle de Gardien, et comme il passait tout son temps libre auprès de Lileïniloo, Pyan-

Dzaïri ne voyait presque plus ses anciens amis, les autres jeunes dzarlit avec qui il avait passé le plus clair de ses journées à paresser et à jouer des tours pendables aux dzarlit plus anciens. Comme la plupart de ces amis avaient aussi de leur côté commencé à prendre leur rôle de Gardiens au sérieux – soit parce qu'on ne peut pas rester jeune et fou toute sa vie, soit, aussi souvent, parce que d'autres s'étaient plaints d'eux auprès de Hananai – il ne leur manquait pas trop.

Mais ce n'était pas le cas pour Tov-Taïri, le Gardien des tovik. Tov-Taïri avait toujours considéré Pyan-Dzaïri comme son seul égal parmi les jeunes dzarlit : les tovik ne couraient-ils pas plus vite que le Vent ? N'étaient-ils pas aussi puissants, aussi indomptables que l'ouragan, lorsqu'ils galopaient tous ensemble dans les collines de l'Est, faisant trembler le sol sous leurs sabots ? Tov-Taïri n'aimait rien tant que se transformer en tovker et faire la course avec Pyan-Dzaïri, et quelquefois il le laissait même arriver avant lui.

Puisque Pyan-Dzaïri était le seul dzarlit que Tov-Taïri considérait comme son égal, il était aussi son seul ami, et son absence lui devint bientôt insupportable. Tov-Taïri se rendit dans tous les endroits où il avait eu l'habitude de rencontrer Pyan-Dzaïri, mais Pyan-Dzaïri ne s'y trouvait pas. Il finit par demander aux autres s'ils avaient vu son ami, et Hanykéten, la Gardienne du Printemps, une des plus anciennes, lui dit avec une certaine malice : « Pyan-Dzaïri fait son travail comme il le doit. Si tu veux le voir, essaie les Plaines Bleues : il va souvent y faire un tour. Il a une amie au bord de la prairie, une humaine. »

Tov-Taïri ne pouvait en croire ses oreilles : Pyan-Dzaïri avait rejoint les rangs des Gardiens bien sages ? Et il avait une *humaine* pour amie ? Impossible ! Scandaleux ! Comment Pyan-Dzaïri pouvait-il lui faire ça, à lui ?

Il se métamorphosa en tovker et galopa en direction des Plaines Bleues. Arrivé à la lisière de la forêt, il la longea dans l'ombre des arbres jusqu'à ce qu'il voie la hutte de Lileïniloo. Il n'y avait personne, seulement le Gomphal entouré de son cercle de petits. Tov-Taïri n'allait pas s'abaisser à parler à un *Gomphal* ! Il se mit en embuscade au bord de la forêt, et attendit.

À la tombée du soir, Lileïniloo revint de la prairie, les bras chargés de plantes, en compagnie de Pyan-Dzaïri qui l'avait retrouvée en chemin comme il le faisait souvent à la fin de sa tournée avec le Vent. Ils riaient, et en les voyant, Tov-Taïri s'enfonça dans l'ombre de des feuillages, le cœur plein d'une soudaine et violente jalousie. C'était donc vrai, Pyan-Dzaïri lui avait préféré une *humaine* ! Il s'éloigna au galop droit devant lui à travers la forêt pour passer sa rage, sans prêter attention aux jeunes arbres qu'il brisait sur son passage.

Le lendemain matin, revenu au bord de la forêt, sans rien faire, il regarda Pyan-Dzaïri quitter la hutte de Lileïniloo. « À bientôt, mon aimée, dit Pyan-Dzaïri. Je reviendrai au premier jour du Mois du Tingai. » Et il s'envola, rapide, sur les ailes du Vent. Lileïniloo partit pour sa randonnée habituelle dans la prairie, et Tov-Taïri ne fit rien non plus. Elle revint au soir, et Tov-Taïri resta caché dans l'ombre. Il l'écouta parler avec le Gomphal, et il ne bougea pas. Il la regarda partir le lendemain matin et il resta immobile sous les arbres, confondu avec la forêt jusqu'au soir, où Lileïniloo revint sans qu'il se montre à elle.

Il attendit ainsi que s'écoulent les quatre-vingt-dix-huit jours du mois et, au premier matin du Mois du Tingai, il sortit des ombres de la forêt et s'arrêta devant Lileïniloo :

« J'ai un message pour toi de Pyan-Dzaïri, dit-il. Des événements de grande importance pour vous deux l'ont retenu auprès de Hananai, et il désire que tu viennes le rejoindre. »

Lileïniloo ouvrit de grands yeux en voyant le tovker. Elle n'avait jamais vu un animal aussi gigantesque : sa tête était presque aussi haute que le toit de sa hutte, et il semblait aussi gros que l'arbre-Gomphal – mais bien plus massif. Avec ces énormes muscles et cette croupe relevée, ce devait être un sauteur autant qu'un coureur... Mais cette grande corne torsadée à l'extrémité pointue, au milieu de son front, était un peu inquiétante. Le pelage était étrange, laineux, long, noir taché de blanc ; mais les yeux avaient des pupilles verticales, comme celles des humains, et ils étaient d'un beau vert mordoré. Et, surtout, cet animal *parlait* !

Lileïniloo ne savait pas que c'était Tov-Taïri.

« Comment ferais-je pour rejoindre Pyan-Dzaïri ? » demanda-t-elle.

« Je suis un tovker magique. Monte sur mon dos, et je te conduirai auprès de ton bien-aimé. »

Lileïniloo mit sa hutte en ordre, dit au revoir à l'arbre-Gomphal, et se hissa sur le dos du tovker.

Aussitôt, Tov-Taïri partit comme une flèche le long de la forêt. Lileïniloo s'accrocha des deux mains à la crinière du tovker « Est-ce si pressé ? réussit-elle à dire. Ne pourrions-nous aller plus doucement ? »

Mais Tov-Taïri se contenta de rire sans répondre et galopa encore plus vite.

Mais pas si vite que Lileïniloo ne puisse se rendre compte qu'il allait droit vers le sud (Tov-Taïri ne voulait pas prendre le risque de traverser la forêt, où Lileïniloo aurait pu faire appel à ses Dieux familiers). Or elle savait bien que le domaine de Hananai se trouvait dans le Nord.

« Quels sont donc ces événements dont tu m'as parlé ? » demanda-t-elle d'une voix hachée par la course, soudain soupçonneuse.

Le rire de Tov-Taïri s'éleva de nouveau, et Lileïniloo comprit que ce tovker ensorcelé ne l'emmenait pas rejoindre son bien-aimé. Mais que faire ? Elle ne pouvait pas se jeter au bas de l'animal : à cette vitesse, la chute aurait été fatale. Elle résolut donc d'attendre : il y aurait bien une fin à la course ! Elle ignorait que Tov-Taïri avait l'intention de faire le tour des Montagnes Rouges par le Sud, de pousser jusqu'à l'océan de l'Est et de l'y jeter pour la noyer.

Pendant ce temps, Pyan-Dzaïri avait fait sa tournée comme d'habitude autour de Hébu et, au coucher du soleil, il se posa près de la hutte de Lileïniloo, tout joyeux à l'idée de la revoir. Il fut un peu surpris de constater qu'elle n'était pas encore revenue de la prairie mais pensa qu'elle n'allait sans doute plus tarder. Il pouvait tenir compagnie à l'arbre-Gomphal et à ses petits, en attendant. Il alla donc s'asseoir au pied de l'arbre, sous les branches en cerceau qui le reliaient maintenant à chacun de ses petits, lui souhaita le bonsoir et attendit.

Le soleil avait presque sombré sous l'horizon quand le Gomphal lui parla : *Elle a disparu,* dit-il.

« Quoi ? » dit Pyan-Dzaïri.

Les premières étoiles s'allumaient dans le ciel quand le Gomphal répondit : *Un tovker est resté sans bouger pendant tout le mois, caché dans l'ombre de la forêt*. Et alors que les lunes se levaient, vers le milieu de la nuit, il conclut : *Et ce matin elle est montée sur son dos et ils ont disparu*.

Bien sûr, Tov-Taïri allait bien trop vite pour que le Gomphal ait pu voir dans quelle direction ils étaient partis. En fait, il ne les avait pas vus *partir*, mais *disparaître*, comme il l'avait dit à Pyan-Dzaïri. Cependant, Pyan-Dzaïri n'avait pas besoin de savoir dans quelle direction le tovker était parti pour comprendre ce qui s'était passé.

Il s'envola en tornade avec le Vent au-dessus du continent et aperçut bientôt – dans le soleil qui montait – la traînée d'étincelles soulevée par la course vertigineuse de Tov-Taïri au pied des Montagnes Rouges. Mais que faire ? Pousser le Vent sur lui en ouragan n'arrangerait sûrement rien et risquerait même de faire du mal à Lileïniloo – sans parler des dégâts dans les Montagnes : Kérekz-Arki, la Gardienne des Avalanches, n'apprécierait sûrement pas. Quant à raisonner avec Tov-Taïri, ce n'était même pas la peine d'y penser.

Pyan-Dzaïri vola en hâte jusqu'à la retraite du Nord où Hananai tenait sa cour. « Oh ! ma Mère et mon Père, s'écria-t-il en se prosternant à ses pieds, est-il juste que mon frère des tovik me vole ma bien-aimée ? »

« Est-il juste, Pyan-Dzaïri, répliqua Hananai, que tu désertes tes sœurs et tes frères, mes enfants les dzarlit, au profit d'une simple humaine ? »

Pyan-Dzaïri se releva : « Mais les humaines sont tes enfants aussi. »

Hananai se mit à rire derrière son masque. « Qu'il en soit ainsi. Elle va te rejoindre. Mais ne viens pas te plaindre ensuite que tu n'es plus seul dans le ciel avec les oiseaux et les nuages. »

Hananai leva un doigt, et sur le dos de Tov-Taïri Lileïniloo se sentit devenir légère, légère... jusqu'à ce qu'elle ne tienne plus à la crinière de Tov-Taïri que par le pouce et par l'index. Elle leva la tête et vit au-dessus d'elle Pyan-Dzaïri qui lui souriait. Alors, elle ouvrit les doigts et s'envola, comme un nuage, comme un oiseau, comme le Vent lui-même, droit dans les bras de Pyan-Dzaïri.

Et c'est depuis ce temps que les humains peuvent voler. Quant à Tov-Taïri, il galope encore dans les collines, et ne s'arrêtera jamais.

10

Maroussia, pelotonnée dans son fauteuil, pousse un soupir de plaisir, mais Stéloni a les sourcils froncés : « Pas vraiment voler, Père-Mirat l'a dit. Les tzinao ne volent pas. »

Maroussia s'étire avec un grand sourire : « En tout cas, moi, j'aime imaginer Lileïniloo en train de s'envoler tout droit dans les bras de Pyan-Dzaïri. »

« Mais c'est vrai que Pyan-Dzaïri n'était pas gentil avec son ami des tovik », proteste Tikarek dans son coin. Comme il est trop gros pour que tous tiennent avec lui dans la niche creusée à même le mur, les petits banki ont résolu le problème en lui grimpant dessus, et seuls son visage, une épaule et un bras émergent du tas de fourrure.

« Tov-Taïri n'a pas le beau rôle dans cette histoire, c'est sûr », dit Maroussia.

« Mais dans la version paalao, sourit Men-thilee, Tov-Taïri est un Seigneur-des-tovik, un vrai tovker, pas un dzarlit qui a pris la forme d'un tovker. Les tovik sont clairement décrits comme des créatures intelligentes, et Pyan-Dzaïri se réconcilie avec Tov-Taïri à la fin. »

« Bien sûr ! dit Mirat. Les Paalani savaient bien que les tovik étaient des créatures intelligentes, ils étaient alliés avec eux depuis le fond des temps. Mais les Hébao n'en avaient jamais vu avant que les Paalani n'envahissent le grand continent, et quand ils ont vu des tovik, c'était en compagnie de soldats paalani, et même quelquefois avec des Paalani montés dessus. Pas étonnant que le vilain de cette histoire hébaë soit un tovker... »

« Quelquefois, dit Tinguem d'un ton rêveur, je me demande comment nous serions, nous, les humains, s'il n'y avait pas eu les tovik – et les banki, les Gomphali, les liadai, bref, toutes les autres créatures conscientes qui vivent avec nous sur Tyranaël. Même nos deux seuls vrais adversaires, l'agraïllad et le karaïker, avaient aux temps anciens une forme de conscience que nous pouvions reconnaître... »

« Nous serions plus féroces, soupire Mirat. Nous serions comme les premiers humains créés par Hananai dans le conte de la Création : parce que nous serions les seules créatures conscientes, nous nous sentirions seuls, et la solitude peut créer des monstres. »

« Ou des sages, remarque Menthilee. Au fond, quel mérite avons-nous à vivre en harmonie avec nos cousins les animaux ou les plantes ? Notre expérience nous dit depuis le début des temps que nous n'en sommes pas très différents, puisque nous pouvons communiquer avec certains d'entre eux. Qui sait, si nous avions été incapables de le faire, ou s'il n'y avait pas eu d'autres consciences sur Tyranaël avec qui le faire, peut-être aurions-nous quand même appris à vivre en paix avec le reste de la création, simplement parce qu'elle a été créée, comme nous. Parce qu'elle existe, et que notre existence à nous en dépend. »

Mirat se met à rire : « Mais Tinguem préfère sûrement croire que c'est pour nous tenir compagnie, comme dans les contes tyrnao, que Hananai a délibérément créé les Gomphali, et les liadai, les tovik, les banki… »

Menthilee ajoute : « … les Ékelli… »

Je ne m'attendais pas à cette remarque. Je regarde ma fille, elle me regarde. Elle veut que je raconte une histoire d'Ékelli ? Je ne suis pas sûre d'en avoir envie.

« Mais les Ékelli sont arrivés bien après la création de Tyranaël », remarque Tinguem comme s'il n'avait rien vu.

« Il y a tout un cycle de contes qui en font pourtant les responsables de l'histoire humaine. »

« C'est quoi, les Ékelli ? » demande Tikarek.

« On ne sait pas trop, dit Tinguem. Ils peuvent prendre forme humaine, mais on ne sait pas vraiment à quoi ils ressemblent. »

« Et ils n'ont pas été créés sur Tyranaël, ajoute Mirat. Ils viennent d'ailleurs. Un jour, ils sont tombés sur Tyranaël et ils n'ont jamais pu en repartir. »

« Et où ils sont, maintenant ? »

« Certains disent qu'ils sont endormis dans le Nord au sommet du Hanultellan, le Père des Montagnes, dit Menthilee. Mais d'autres disent qu'ils se trouvent dans l'île des Dieux, Aaldzarlu. »

Oh, c'est cette histoire-là qu'elle veut me faire raconter. J'aurais dû m'en douter…

Tikarek se redresse dans sa couverture de banki, dérangeant plusieurs petits qui protestent avec des sifflements endormis.

« L'île où on ne peut pas aller ? C'est pour ça qu'on ne peut pas y aller ? »

« L'île des Dieux, c'est aussi l'île des morts, dit gravement Menthilee. Si on veut y aller, il faut consentir à un sacrifice. »

J'ai soudain envie de dire que je suis fatiguée, mais le regard de ma fille est toujours fixé sur moi, et après tout, il est temps que Tikarek à son tour apprenne cette histoire-là.

11

Histoire d'Oghim

Il y a très longtemps, au temps où les Ékelli se promenaient encore sur Tyranaël, une grande joie advint en la maison de Karaïd Tsaludar, à Hleïtzer qui était alors la capitale des Paalani sur Hébu. Longtemps le roi et son épouse Mirnaë avaient attendu un héritier mâle, et par trois fois déjà leur espoir avait été déçu. Or, au milieu de la nuit de l'éclipse, alors que la grosse lune était sombre, il leur naquit un fils. L'enfant avait les yeux violets de son ancêtre Ktulhudar, et tous les mages déclarèrent que par lui se réaliserait sûrement la prédiction de l'Homme-Dieu aux Paalani, au temps de leur ultime défaite : « Vous serez grands de nouveau, non par les armes et dans la guerre, mais par l'amour et dans la paix. »

Cette grande joie se changea pourtant bientôt en une grande peine. Ce ne fut d'abord qu'un chuchotement dans les couloirs du palais, puis un murmure de bouche à oreille, mais la nouvelle éclata bientôt dans la ville royale consternée : le regard du divin soleil ne se posait pas sur le prince-héritier ! Le fils du Roi, le descendant de l'Homme-Dieu Ktulhudar, Oghim Karaïdar, n'avait pas d'ombre !

Karaïd Tsaludar était un roi juste et bon, aimé de tout son peuple, et tout son peuple s'affligea avec lui. Non seulement l'enfant n'avait pas d'ombre, mais il n'avait pas non plus de reflet : ni l'eau ni le métal poli ne renvoyaient son image ! On essaya tout pour le guérir – mais ce n'était pas une maladie ! On essaya tout pour le désensorceler – mais si c'était une malédiction, d'où venait-elle ? Tous les guérisseurs, tous les mages, tous les sages appelés au palais demeurèrent impuissants à expliquer la condition du petit prince.

Mais comme c'était le seul fils de Karaïd Tsaludar, c'était le prince héritier, et son père décida que, dans la mesure du possible, il serait élevé comme tel.

Les années passèrent, et l'enfant sans ombre grandit en force et en beauté. Par ordre du roi, on avait banni tous les miroirs du palais, et on ne laissait sortir le jeune prince dans les jardins intérieurs que pendant les heures obscures où nul astre nocturne ne brillait dans le ciel. Le jour, il dormait dans une partie du palais où toutes les fenêtres avaient été murées, dans une chambre éclairée seulement par la lumière de la pierre dorée, qui ne fait pas d'ombre. Ainsi le prince put-il vivre jusqu'à sa quinzième Saison sans jamais soupçonner qu'il n'était pas comme les autres. Il apprit le maniement des armes et toute l'histoire glorieuse de ses ancêtres. Il apprit à jouer des instruments de musique qui convenaient à un jeune prince des Paalani. Il apprit toutes les grâces de la cour et toutes les subtilités du combat. Il apprit même, sous les voûtes sonores des cours intérieures qu'on avait aménagées pour lui seul, à chevaucher le tovker blanc et noir qui serait son compagnon quand il serait roi. Car il serait roi un jour, il n'en avait jamais douté : son père le traitait comme tel, sa mère le traitait comme tel, tous ses maîtres et tous les compagnons qu'on lui avait choisis avec soin le traitaient comme tel. Il l'avait appris avec chacun de ses souffles et il le croyait sans questions. Tout comme il croyait que l'immense palais où il vivait n'avait pas de limites et constituait le monde.

Mais vers le milieu d'une nuit de jeux et de combats (qui était pour lui la journée), il advint que tous les compagnons d'Oghim s'endormirent, terrassés par la fatigue. Seul Oghim ne parvenait pas à trouver le sommeil. Il décida d'aller se promener dans le palais.

Ses compagnons étaient aussi ses Gardiens, et ils avaient toujours été là pour le détourner des zones du palais où il ne devait jamais se rendre. Mais comme ils dormaient d'un profond sommeil – et comme tout le monde dormait aussi dans le palais à cette heure, même les gardes, qui savent dormir les yeux ouverts – Oghim se retrouva bientôt dans une partie du palais qu'il ne connaissait pas. Il y avait là des tapisseries et des tableaux comme il n'en avait jamais vu, dépeignant de vastes étendues d'arbres et d'eau comme dans les jardins intérieurs du palais, mais sans murailles pour les délimiter. Et au-dessus de ces grands espaces, il y avait un ciel comme il n'en avait jamais vu non plus, bleu, avec des morceaux de coton blanc qui flottaient dedans...

Déconcerté, mais curieux, Oghim poursuivit son chemin. Et d'escaliers en corridors, de cours en jardins, il arriva sans le savoir à la limite du palais, sur l'ancien chemin de ronde. Au-dessus de lui, le ciel nocturne s'arrondissait, rempli d'étoiles, mais c'était un spectacle familier pour Oghim. Ce qui l'était moins, c'était qu'il fût si large, ce ciel. Et ce qui l'était encore moins, ce qui lui fit retenir son souffle avec un mélange de stupeur et d'excitation un peu effrayée, ce fut de voir au-dessous de lui, lorsqu'il s'accouda au parapet du chemin de ronde, un espace apparemment infini constellé de lumières qui n'était pas le ciel et qui

146

se trouvait, en fait, là où aurait dû être la terre ! Il en montait des bouffées de musique, et des rires, et des voix qui s'interpellaient. Il y avait des gens là-bas ! Et pourtant, le palais semblait bien s'arrêter là où se tenait Oghim...

Oghim descendit l'escalier qui menait dans la cour principale du palais, se glissa dehors par une petite poterne, dans le dos d'un garde qui ronflait, appuyé sur sa lance, et descendit le chemin qui menait vers la ville de Hleïtzer.

C'était la Foire de Printemps, à Hleïtzer. Imaginez toutes les merveilles rencontrées par Oghim, lui qui n'avait jamais quitté la partie du palais qui lui était réservée ! Les jongleurs et les souffleurs de feu, les acrobates et les dresseurs, l'odeur sucrée du fofolod flottant sur les ruelles, tous ces gens dans leurs splendides habits de fête, leurs accents tous différents... Oghim avait un peu le vertige, il lui semblait rêver, mais en même temps, c'était passionnant, excitant, fascinant ! Il but de l'eau pétillante aux fontaines, courut avec une bande de masques poursuivis par des banki, se fit donner des beignets par une marchande généreuse... Et pendant tout ce temps, parmi tous ces gens, il n'y en eut pas un pour le reconnaître et le saluer ! Ces gens ne savaient pas qu'il était Oghim Karaïdar. C'était à la fois stupéfiant et curieusement agréable...

Finalement, la fatigue le rattrapa, et il cherchait un endroit plus tranquille pour se reposer un peu. Il se retrouva dans un lacis de petites ruelles sombres où n'arrivaient que faiblement les bruits de la Foire et il ralentit le pas. Soudain, alors qu'il cherchait son chemin sur les pavés inégaux, il buta sur quelque chose de mou, qui remua en gémissant et s'assit. C'était une vieille femme en haillons, qui sentait mauvais et à laquelle il manquait les dents de devant ; elle tendit vers lui une main crochue en parlant d'une voix geignarde dans une langue qu'il ne connaissait pas. Il fallut un moment à Oghim pour comprendre : il n'avait jamais vu de mendiants. Il chercha dans ses poches mais il n'avait pas d'argent, seulement un morceau de beignet qu'il n'avait pas fini de manger. Il le mit dans la main tendue et se fit adresser une bordée de paroles dont le contenu était incompréhensible, mais pas le ton. À la fois apitoyé et irrité, mais aussi déconcerté par ces sentiments inhabituels, il s'éloigna.

Cette partie de la ville était celle des pauvres, mais il ne le savait pas. Il vit seulement des gens endormis dans des encoignures de portes, et certains étaient des enfants, en tas comme des banki. Par des fenêtres chichement éclairées, il regarda à l'intérieur de maisons décrépites, sales et exiguës. Dans la pénombre des ruelles, le nez froncé, il marcha dans des ordures et des excréments et rencontra des troupeaux de rongeurs presque aussi audacieux que des banki... Il n'avait jamais rien vu de tel. On ne lui avait jamais *appris* rien de tel! Qu'était donc cet endroit?

À force de marcher, cependant, il se retrouva de nouveau dans un quartier plus accueillant, où quelques tavernes étaient encore ouvertes. La foule des passants était plus clairsemée, cependant, car la nuit s'achevait. Sur le seuil d'une des tavernes où l'on était en train de ranger tables et chaises, un joueur de pilpai était assis, et un air un peu mélancolique s'élevait sous ses doigts. Oghim n'avait jamais vu de pilpai – la double-flûte des Hébao n'était pas un instrument digne d'un prince. Aucune flûte ne l'était : un prince paalao jouait des tambours ou, à la rigueur, du nankesset, dont il faut frapper les cordes avec force pour en tirer le moindre son. Il s'approcha donc, attiré par la nouveauté de l'instrument et la joliesse de la mélodie, et il s'assit près du musicien.

Celui-ci termina sa mélodie et en commença une autre, puis une autre, et une autre encore, de plus en plus tristes. Enfin, il déposa son pilpai sur ses genoux : «Une longue nuit!» soupira-t-il en s'étirant.

Oghim admit que la nuit avait en effet été bien longue.

«Mais la nuit finit toujours, ajouta le musicien, même la plus noire.» Et, en voyant l'air étonné d'Oghim pour qui cette nuit avait sans doute été la moins triste de toute son existence, il expliqua : «Mon compagnon de vie m'a congédié aujourd'hui. Et il a fallu que je joue des airs joyeux toute la nuit, parce qu'on m'avait engagé pour cela...»

Il se leva, et Oghim, qui ne savait plus trop que faire, se leva aussi pour lui emboîter le pas. «Je n'ai nulle part où aller», continua le musicien. Comme Oghim ne disait rien, l'homme soupira de nouveau : «Rentre chez toi, petit. Il y aura bien une barque pour moi sur le port...»

Oghim comprit alors : le musicien avait espéré qu'il lui offrirait l'hospitalité! Et à vrai dire, il aurait bien pu l'emmener avec lui au palais... sauf qu'il se demandait maintenant comment on l'accueillerait là-bas, avec ou sans invité. On ne lui avait jamais interdit d'en sortir – puisqu'il n'avait jamais su qu'on pouvait en *sortir*, de toute façon! Mais il avait comme l'impression qu'on ne serait pas content de sa promenade.

«Je ne suis pas sûr d'avoir envie de rentrer», dit-il, à sa propre surprise.

«Ça ne va pas à la maison?» Le musicien lui donna une petite tape dans le dos. «Il y a un moment où il faut partir, quand on arrive à ton âge.»

Et il se mit à lui raconter comment il avait quitté sa famille à quatorze Saisons pour devenir musicien.

Tout en parlant ainsi, ils arrivèrent sur le port. C'étaient les petites heures de l'aube. Oghim, qui s'était toujours couché avant que le soleil ne se lève, ne savait pas ce que c'était, cette lumière qui montait à l'est. Et surtout, il était fasciné par la vaste étendue liquide qu'elle lui révélait et qui s'étirait à ses pieds jusqu'à l'horizon, agitée de légers frissons.

« Qu'est-ce que c'est ? » demanda-t-il en la désignant de la main.

Le musicien, surpris, répondit : « Mais c'est le Grand Lac, le Hleïtan. »

À ce moment-là, le soleil jaillit au-dessus des collines de la ville, illuminant les eaux. Oghim ferma les yeux, aveuglé. Quand il les rouvrit, il vit que le musicien avait un genou en terre et levait vers lui sa main ouverte, comme il sied à qui salue son prince. L'homme avait l'air effrayé. Oghim sourit, un peu déçu : « Pourquoi me reconnais-tu maintenant, musicien ? Nous avons pourtant passé pas mal de temps ensemble... »

L'homme baissa la tête, et Oghim, suivant son regard, vit par terre, à côté du musicien, comme un rappel noir et plat de sa silhouette agenouillée.

« Qu'est-ce que c'est ? » demanda-t-il, plein de curiosité. Il en avait déjà vu en ville, dans la lueur des torches, mais il n'y avait pas vraiment prêté attention : il avait été trop excité par toutes les nouveautés qui se présentaient à lui, plus colorées et plus tangibles.

« C'est mon ombre, Seigneur », murmura le musicien.

Et, à la demande d'Oghim, il expliqua ce qu'était une ombre.

Oghim regarda un moment l'ombre du musicien tourner avec le soleil qui montait dans le ciel.

« Pourquoi n'en ai-je pas ? » demanda-t-il enfin.

Le musicien baissa de nouveau la tête, mais ne répondit pas.

12

Dans les jours et les semaines qui sui-
virent, le roi et la reine regardèrent avec
désespoir leur fils dépérir. Rien ne pouvait
tirer le jeune prince de son accablement, ni
les armes, ni les chants, ni les jeux. Les livres
qui avaient fait ses délices restaient à l'abandon; le tovker blanc et noir se promenait seul
dans les cours et les jardins intérieurs.... Le
chagrin de ses parents comme la sollicitude de
ses amis laissaient Oghim également indif-
férent. Il mangeait peu, dormait à peine, passait ses journées à errer dans le palais sans voir
ceux qui croisaient son chemin. Son visage
était celui de qui dort en faisant de mauvais
rêves, et son mauvais rêve, c'était toujours
le même : le visage effrayé du musicien, le
visage effrayé de tous ceux qu'il avait croisés
en revenant de la ville. Il n'était pas comme

eux. Il n'était pas non plus comme les gens du palais. Il était maudit. Il n'avait pas d'ombre.

Un jour, cependant, un vieux mendiant se présenta à la porte du palais et demanda à voir le prince. « Je peux l'aider », dit-il au garde. Le garde, incrédule, n'en rapporta pas moins l'information à son supérieur, qui la rapporta au sien, et ainsi de suite jusqu'au Roi. Karaïd Tsaludar fit donc venir le mendiant, irrité et désespéré à la fois : les plus grands sages et les plus grands mages n'avaient pu donner une ombre à son fils, et un vieux mendiant tout pelé prétendait le faire ?

« Laisse-moi voir le prince, Karaïd Tsaludar, dit le mendiant. Si je réussis, tu as tout à y gagner. Si j'échoue, tu pourras toujours me faire mettre à mort. »

Le Roi lui donna donc la permission d'aller rencontrer son fils.

Oghim était couché à terre dans le coin le plus sombre du palais et ne leva même pas la tête en entendant arriver le mendiant. Le vieillard sortit de sa besace un petit miroir de srid rond et le plaça sur les genoux du prince. Oghim releva enfin la tête, mais il ne regarda pas le miroir. Il demanda d'une voix lasse au mendiant : « Que veux-tu ? »

« Regarde dans le miroir, Oghim », dit le mendiant d'un ton impérieux, et sans savoir pourquoi, Oghim obéit. Comme à l'accoutumée, il ne vit pas son visage se refléter dans

154

la surface lisse du métal. Mais il n'y vit pas non plus ce qui se trouvait derrière et autour de lui. Ce miroir-là ne réfléchissait rien du tout.

« Es-tu un magicien ? » demanda Oghim, un peu curieux malgré lui.

« Les miroirs des hommes ne peuvent refléter que les images des hommes, répondit le mendiant. Mais ce miroir, Oghim, n'est pas fait pour refléter le monde des mortels. Seuls les Ékelli peuvent y apparaître. De même, le soleil qui éclaire ce monde-ci ne peut donner une ombre à qui n'est pas de ce monde. »

« Je ne suis donc pas de ce monde ? » s'étonna Oghim.

« Non. Tu es le premier des temps à venir, et ceux qui te suivront honoreront ta mémoire, comme l'avait prédit ton ancêtre Ktulhudar. »

Car le mendiant voulait voir si Oghim était capable d'orgueil. Mais le prince répliqua : « Que m'importe la gloire ? Elle habillera seulement la poussière de mes os, demain. C'est aujourd'hui qui compte pour moi. »

Le mendiant lui dit alors que s'il désirait vivre dans ce monde-ci, il devait accepter d'y être sans ombre et sans reflet.

« C'est impossible, dit tristement Oghim. Comment vivre en n'étant qu'une moitié d'homme, sans jamais connaître mon visage ? »

« Et si je te disais que le connaître te sépa-
rerait à jamais de ceux que tu aimes ? »

« Ce n'est pas possible ! s'exclama le
prince, atterré. Suis-je donc un monstre ?
Ceux qui m'ont aimé jusqu'à ce jour m'ont-
ils donc menti ? »

Le mendiant sembla méditer un instant,
puis il demanda : « Tu veux vraiment retrouver ton ombre, Oghim ? »

« On peut la *retrouver* ? dit Oghim, soudain plein d'espoir. Elle est quelque part où
on peut la *trouver* ? Dis-moi où, vieillard ! »

« Mais d'abord il te faudra tout abandonner de ce que tu connais, souffrir la faim et le
froid... »

« Je souffrirais bien davantage pour retrouver mon ombre ! » s'écria le prince.

« Sache aussi que sur ta route tu ne devras
t'arrêter pour personne, sous aucun prétexte. »

« N'est-ce que cela ? dit le prince. Dis-moi
plutôt où je dois me rendre, et ma reconnaissance sera éternelle. »

« Les humains parlent bien légèrement
d'éternité », remarqua le mendiant.

« Je suis Oghim Karaïdar, dit fièrement le
prince, et je n'ai qu'une parole ! »

Le vieillard sourit : « Qui donc tout à
l'heure parlait de la gloire qui habille seulement les os ? Tu es bien un homme malgré
tout, Oghim Karaïdar, si tu crois que ton nom

est plus qu'un nom. Tu apprendras en chemin... et tu regretteras d'être parti. »

« Jamais ! » dit imprudemment le prince.

Le vieillard sourit de nouveau, mais sans rien dire, puis il désigna le miroir sur les genoux d'Oghim : « Ne perds pas ce miroir, prince, et puisses-tu en chemin te souvenir sans amertume de moi et de tes paroles. Va à l'île des Dieux, tu y trouveras ton ombre. »

« L'île des Dieux ? s'étonna Oghim. Elle existe vraiment ? Mais où est-elle ? »

« Trouve-la », dit simplement le vieux mendiant. Et il disparut sans qu'Oghim puisse dire où il était passé.

▲ ▲ ▲

Malgré les remontrances et les supplications de son père et de sa mère, Oghim décida de quitter le palais à la recherche de l'île des Dieux. Mais auparavant, il consulta tous les mages et tous les sages du palais et de tout le royaume pour apprendre ce qu'il y avait à savoir sur l'Île. Quelle ne fut pas sa déception ! Selon les histoires, elle se trouvait au nord, au sud, à l'ouest et à l'est, sur une rivière, un étang, un lac ou un océan ; dans certaines histoires, ce n'était pas du tout une île mais une colline, une montagne ou même une caverne souterraine ! Et c'étaient toutes des histoires, pas des relations de voyage : personne n'était jamais réellement allé dans l'île des Dieux.

Mais Oghim était obstiné. Puisque le mendiant lui avait dit « Trouve-la », c'était qu'il pouvait la trouver. Il était *destiné* à la trouver ! Il décida donc de partir droit devant lui en faisant confiance au hasard : il lança en l'air une pièce d'or à l'effigie de son ancêtre Ktulhudar pour choisir le nord ou le sud, et ce fut le sud. Il en lança une autre en argent à l'effigie de son père pour déterminer l'autre direction, et ce fut l'est. Oghim rassembla donc ses affaires et partit avec son tovker vers le sud-est. C'était, pensait-il, une bonne direction : n'était-ce pas par là que ses ancêtres paalani étaient arrivés sur Hébu ?

Il parvint ainsi aux confins du royaume, dans les Montagnes Rouges. C'était une petite bourgade, quelques maisons seulement ; à la limite du village s'élevait un grand arceau de fer noir. C'était « la porte », lui dirent les villageois, des Hébao taciturnes qui ne savaient rien d'autre ou ne voulaient pas en dire davantage : le nom d'Oghim Karaïdar leur était inconnu, mais un prince paalao monté sur un tovker n'était pas un spectacle cher à leur cœur.

Elle ne tenait à aucun mur, cette porte, les montants en étaient simplement enfoncés dans le sol. Amusé, Oghim poussa donc son tovker sous l'arceau. De l'autre côté, c'était le même paysage, des épaules de rochers, des étendues de rocailles, des bosquets de petits arbres trapus... Encore plus loin, c'était la montagne, de plus en plus escarpée et impraticable.

Oghim décida de rebrousser chemin pour trouver un chemin à travers la montagne. Inutile de repasser par l'arceau de « la porte », il y avait de la place à côté, n'est-ce pas ?

Mais son tovker s'arrêta net, comme devant un obstacle invisible.

Oghim essaya l'autre côté de la porte. Le mur invisible l'empêcha encore.

Irrité, déconcerté, Oghim dirigea son tovker vers le centre de la porte.

Le mur invisible était encore là.

Incrédule, Oghim le suivit loin vers la gauche jusqu'à une paroi rocheuse infranchissable, puis loin sur la droite jusqu'à une autre barrière de pierre. Impossible de passer. Il ne pouvait pas rebrousser chemin. Et il ne pouvait pas non plus aller de l'avant ! Était-ce un signe ? Était-ce un *bon* signe ? Comment le savoir ? Les villageois interrogés ne purent rien lui dire et se mirent à l'éviter quand ils comprirent qu'il ne pouvait repasser la porte de fer pour retourner d'où il était venu.

Et il ne savait toujours pas où chercher l'Île.

Il s'assit au bord de la route, désespéré. Pourquoi avait-il cru le vieillard qui était venu au palais ? Jamais il ne retrouverait son ombre !

Il se laissait ainsi aller au découragement lorsqu'il entendit une voix qui demandait : « As-tu du pain, étranger ? »

Oghim leva les yeux et vit devant lui un grand Tyrnaë vêtu de guenilles bleues. Il prit ce qui lui restait de pain et le tendit au vagabond. Puis il se replongea dans ses tristes pensées. Le vagabond s'assit près de lui, rompit le pain en deux et lui en rendit une moitié en disant : « Tu es généreux, étranger. Je vais l'être aussi avec toi. » Et il sortit de ses haillons une gourde de peau qu'il tendit au prince.

Oghim goûta avec prudence au contenu de la gourde ; à sa grande surprise, le breuvage avait une saveur délicieuse. « Quel est ce vin ? demanda-t-il, je n'en ai jamais bu de pareil. »

« C'est du shméïlé, répondit le vagabond. On n'en trouve pas par ici. Il ne se fabrique que chez moi. »

« D'où viens-tu ? » demanda Oghim en lui rendant la gourde, déjà distrait.

« Et toi-même ? » répliqua le vagabond.

Oghim fut un peu choqué d'une telle désinvolture mais il songea que l'homme ignorait avoir affaire à un prince. « Je viens de Hleïtzer, dit-il avec lassitude, mais tu ne dois même pas savoir où cela se trouve. »

« Au bord du Hleïtan. Et toi, sais-tu où se trouve le cap de Mérèn-Ilïu ? »

Oghim reconnut qu'il ne le savait pas.

« Dans le Nord, déclara le vagabond. Je viens de là. C'est là qu'on fabrique le vin que tu as bu. Les baies dont il est tiré ne poussent qu'à cet endroit du lac, sur la rive la plus proche de l'île des Dieux. »

« Tu sais donc où elle se trouve ? s'exclama Oghim, n'osant croire à sa chance. C'est là que je veux aller. J'en ignorais le chemin ! »

« Vraiment ? dit le vagabond. Et pourquoi crois-tu que j'accepterais de te l'indiquer ? Parce que tu m'as donné de ton pain ? Je t'ai donné de mon vin. Nous sommes quittes. »

« Je te donnerai de l'or », dit Oghim. Il prit sa bourse et la jeta aux pieds du vagabond, qui se mit à rire :

« Tu donnes ton or bien facilement, jeune étranger. Tu n'as pas dû avoir grand mal à le gagner. »

« Tu le gagneras sans peine non plus, si tu me dis comment aller à l'île des Dieux ! » dit Oghim avec impatience.

Le vagabond secoua la tête : « Tu sembles beaucoup tenir à cette information. Il ne serait pas bon que tu l'obtiennes si facilement, et par le mépris, encore ! »

« Que veux-tu dire ? » demanda Oghim, étonné et mécontent de ces paroles dont il sentait confusément la vérité, mais qu'il trouvait étranges dans la bouche d'un vagabond.

« Je vois à tes vêtements que tu es noble, et à la taille de ta bourse que tu es riche. Tout à l'heure, tu m'as donné un pain presque entier, mais ce n'était pas par générosité : c'était parce que la largesse fait partie des attributions de tes pareils et que tu as l'habitude d'avoir toujours du pain en abondance. Tu n'as pas pensé que j'avais faim, ni que j'étais peut-être, comme toi, loin de chez moi. Tu ne m'as même pas vraiment regardé. Et lorsque tu m'as jeté ta bourse, comme on jette un os à un banker, tu n'as pas songé que l'or pouvait ne pas signifier davantage pour moi que pour toi, bien que mes vêtements soient des guenilles et les tiens ceux d'un prince, Oghim Karaïdar. »

« Tu sais donc qui je suis ? » murmura Oghim, honteux de la justesse de ces paroles. « Pourtant, nul ne semble me connaître par ici. »

« C'est que je ne suis pas d'ici, sourit le vagabond. Je viens du Leïteltellu, où l'on fabrique le vin des Dieux.

« Et tu ne veux pas m'en indiquer le chemin », dit tristement Oghim.

« Je ne veux pas de ton or en échange, Oghim Karaïdar. Mais peut-être pourrais-tu me donner autre chose ? »

« Dis-moi ce que tu veux et je te le donnerai ! » s'écria Oghim, de nouveau plein d'espoir.

« Trouve-le toi-même », répliqua le vagabond.

Oghim réfléchit un moment : « Je ne possède rien d'autre ici que mon or, mes armes et mes habits. Mon tovker est un libre compagnon, et je ne peux disposer de lui. Veux-tu mes armes et mes habits ? »

Le vagabond secoua la tête. Oghim soupira, découragé : « Que pourrais-je t'offrir, alors, sinon mes excuses pour ma légèreté de tout à l'heure, et mon amitié ? Que vaudraient-elles pour toi ? »

« On ne possède pas seulement ce qu'on peut toucher, dit le vagabond en souriant. Elles vaudraient l'information que tu désires. » Et il tendit ses mains ouvertes au prince stupéfait et ravi. « Je m'appelle Galaas, ajouta-t-il, Si tu le veux bien, je ferai plus que t'indiquer la route de l'Île : j'irai avec toi, car c'est aussi mon chemin. »

C'est alors qu'Oghim sentit comme une brûlure contre sa poitrine. C'était là qu'il portait le miroir donné par le vieux mendiant, attaché à une lanière de cuir. Il se hâta de sortir le miroir de sous sa chemise, et lorsqu'il y regarda, quelle ne fut pas sa surprise : le visage du vieillard s'y trouvait ! Le vieil homme ne lui avait-il pas dit que seul pouvait s'y refléter

163

le visage des Ékelli ? Mais avant qu'Oghim ait eu le temps de manifester son respect à celui qui venait ainsi de lui révéler sa véritable nature, le vieil homme lui dit, d'un ton amusé : « Eh bien, Oghim, je vois que tu as trouvé de la compagnie. Mais ne serait-il pas temps de te mettre en route à la recherche de l'île des Dieux ?

« Justement... » dit Oghim.

« Rappelle-toi, interrompit encore le vieil homme, plus sévère à présent, tu ne dois t'arrêter pour personne en chemin ! Ta quête est trop importante. »

Et sur ces mots, le visage du vieillard disparut, et le miroir redevint froid et vide comme avant.

▲ ▲ ▲

Oghim rangea le miroir, pensif, et se tourna vers son nouveau compagnon : « Si l'île des Dieux est dans le Nord, comme tu le dis, je dois rebrousser chemin. Mais je n'arrive pas à passer cette porte de fer. Il y a comme un mur invisible... »

« Pas grave, dit Galaas avec désinvolture. Nous passerons par la montagne. »

Oghim regarda d'un œil plein de doute les falaises escarpées, et les pics plus hauts encore.

« Évidemment, ajouta Galaas, tu vas devoir donner congé à ton tovker. Il ne pourra pas passer par les chemins que nous allons prendre. »

Cela voulait dire aussi qu'Oghim devrait choisir le strict minimum dans ses bagages, puisqu'il lui faudrait désormais les porter lui-même. Avec un soupir, il fit donc le tri parmi ses affaires, puis dit au revoir à son tovker blanc et noir.

Celui-ci passa la porte de fer apparemment sans problème, la corne haute, et disparut dans le chemin qui descendait vers la vallée. Oghim se retourna vers Galaas, bouche bée, et Galaas sourit : « Il faut croire que la porte de fer n'était une barrière que pour toi, Oghim. Mais viens, nous avons du chemin à faire avant la tombée de la nuit. »

Le sentier montait entre les pans de rochers, si étroit, si imperceptible, qu'Oghim se demanda qui pouvait bien y passer, à part les plus audacieuses des chèvres. Ils grimpèrent ainsi pendant des heures, et Oghim, qui avait pris l'habitude de laisser son tovker marcher à sa place, se sentit vite bien fatigué. Mais il n'avait pas le choix : il devait suivre Galaas.

Vers la fin de la journée, ils avaient atteint une ligne de crête et la suivaient en direction du nord quand Oghim entendit dans le lointain le bruit tumultueux de l'eau des montagnes, qui court et cascade et rugit entre les pierres. Ils arrivèrent bientôt à un torrent grossi par la fonte des neiges, qui leur barrait la route, et Galaas se mit à le suivre en direction de l'ouest : «Il y a un pont en aval, dit-il. Nous devrions pouvoir passer avant la nuit.»

Oghim le suivit de nouveau, en essayant d'oublier ses pieds douloureux : heureusement qu'il y avait un pont, le torrent devenait de plus en plus large à mesure qu'on allait vers l'ouest, et visiblement de plus en plus profond.

Mais quand ils arrivèrent au pont, alors que le soleil se couchait derrière les montagnes, ils ne trouvèrent sur la rive qu'une arche écroulée, et ici et là, dépassant du flot rapide, quelques blocs de maçonnerie sur lesquels la rivière se déchirait en écumant.

«La crue de Printemps a dû démolir le pont», dit Galaas. Et il s'assit sur un rocher pour sortir de son sac de quoi faire à manger.

«Y a-t-il un autre pont plus loin?» demanda Oghim, inquiet.

«Eh non, dit Galaas, c'était le seul pont.»

«Mais comment allons-nous passer?» s'écria Oghim, atterré.

«Il faudra sans doute rebrousser chemin», dit Galaas.

Dans la lumière déclinante, Oghim alla se percher à l'extrême bord de l'arche écroulée et mesura du regard la distance qui la séparait des morceaux du pont tombés dans l'eau. C'était bien trop loin! Construire un radeau? Mais il n'y avait aux alentours que de petits arbres rachitiques, tout juste bons à fournir du bois pour le feu. Et de toute façon, ils n'avaient pas de cordages... Rebrousser chemin ! Et lui qui avait tellement mal aux pieds...

Soudain, il entendit Galaas crier «Oghim!» en même temps qu'éclatait un rugissement qui couvrit presque le fracas de l'eau. Il se retourna juste à temps pour voir Galaas lâcher la casserole qu'il tenait et se précipiter vers lui, tandis qu'un énorme karaïker se dessinait entre les rochers en amont.

Le félin les avait vus. Il bondit par-dessus le feu qu'avait allumé Galaas et s'avança vers eux, au pas. Pourquoi se serait-il pressé ? Ses proies n'avaient aucune retraite possible.

«Il faut sauter», dit Oghim.

«Comment ça, sauter ?» protesta Galaas.

«Mieux vaut tenter notre chance avec le courant et les rochers que n'en avoir aucune avec le karaïker.»

Galaas admit qu'il avait raison, et, alors que le karaïker marchait lentement vers eux – ils pouvaient voir ses crocs satisfaits – ils sautèrent ensemble dans le flot bouillonnant.

Oghim avait fermé les yeux dans l'attente du choc glacé. Mais tout ce qu'il sentait, c'était le souffle du courant et l'humidité de l'écume ! Il ouvrit les yeux... et vit qu'il flottait à un bon lani au-dessus de l'eau ! Le karaïker, frustré, lançait des coups de pattes depuis l'extrémité de l'arche écroulée, mais Oghim était bien trop loin.

À la fois stupéfait et soulagé, Oghim chercha Galaas au milieu des tourbillons d'écume. Le vagabond était accroché à un rocher, un peu en aval. Il fallait l'aider ! Et à peine cette pensée avait-elle traversé l'esprit d'Oghim qu'il sentit son corps bouger au-dessus de l'eau, en direction de Galaas. Il avait bien un peu le vertige – surtout en voyant l'eau du torrent qui continuait à se précipiter sous ses pieds – mais il se laissa flotter dans l'air vers le vagabond. Une fois arrivé à sa hauteur, cependant, il se demanda quoi faire. Sans point d'appui, serait-il capable de le sortir de l'eau et de le transporter jusqu'à l'autre rive ? Avec prudence, il se plia en deux pour toucher la main de Galaas – jusque-là, tout allait bien. Le vagabond le vit et attrapa sa main. Après un bref moment de terreur, Oghim constata qu'il flottait toujours au-dessus de l'eau même avec le poids de Galaas accroché à une de ses mains. Et maintenant, quoi ? Il fallait le sortir de l'eau et...

À peine cette pensée avait-elle traversé l'esprit d'Oghim que son corps l'avait exécutée : tenant Galaas à bout de bras au-dessus du torrent, il flottait déjà en direction de l'autre rive. Sur le morceau de pont écroulé, en face, le karaïker mordait les pierres en rugissant de rage.

Oghim déposa le vagabond sur la rive et s'y posa lui-même. Puis il éclata de rire :

« Merci, ô dieux ! Je sais maintenant que vous voulez ma réussite ! » Léger comme l'oiseau, il s'envola de nouveau au-dessus des eaux écumantes pour aller chercher les bagages qu'ils avaient laissés près du feu sur l'autre rive. Enfin, pour faire bonne mesure, il remplit un pan de sa chemise de morceaux de rochers et alla les laisser tomber sur la tête du karaïker, qui eut beau se dresser de toute sa hauteur sur ses pattes de derrière... Oghim flottait hors d'atteinte au-dessus de lui !

Ensuite, il revint se poser près de Galaas qui tordait ses habits pour en faire sortir l'eau. « Nous n'aurons plus jamais à nous mouiller les pieds ! » lui dit-il en riant.

Ils firent un grand feu et mangèrent de bon appétit. Ou plutôt, Galaas mangea de bon appétit : Oghim était trop occupé à explorer son nouveau pouvoir – même si ce n'était pas très compliqué : penser à aller à droite ou à gauche, à monter ou à descendre, c'est déjà esquisser le mouvement intérieurement, et le corps continue le geste ensuite, à l'extérieur.

« Arrête, Oghim, se plaignit enfin Galaas, tu me donnes le tournis ! »

Oghim revint se poser près du feu : « Les dieux sont bons ! » dit-il, tout excité.

« Peut-être as-tu toujours eu ce pouvoir, remarqua Galaas. Mais tu n'en avais jamais eu besoin auparavant. »

« Ou bien les dieux m'aiment et me l'ont donné pour nous sauver la vie, protesta Oghim.

« Peut-être, dit Galaas. Repose-toi, maintenant. Nous partirons tôt demain matin. »

Le lendemain matin, Oghim se réveilla tout courbaturé.

« Qu'est-ce que tu crois ? lui dit Galaas, moqueur. Même quand il bouge dans l'air, ton corps est toujours un corps, il se fatigue. Il faudra être plus économe de ce pouvoir, à l'avenir ! »

« Si j'avais été économe, je ne t'aurais pas sauvé la vie, lui rappela Oghim, ulcéré. Tu ne m'as même pas remercié ! »

« C'est vrai, dit Galaas. Merci, Oghim. Et maintenant, ramasse tes affaires. »

Mais au moment où ils allaient reprendre leur route, ils virent une petite silhouette qui sautait de rocher en rocher pour les rejoindre sur la rive. C'était un enfant d'une dizaine de Saisons qui leur criait : « Attendez, attendez ! »

Quand il fut arrivé près d'eux, tout essoufflé, il leur demanda : « Comment avez-vous fait pour passer ? »

« Nous avons volé, dit Oghim en riant, comme des oiseaux ! »

« Ne vous moquez pas de moi, dit l'enfant, au bord des larmes. Il y avait le pont quand je suis allé rendre visite à mes grands-parents, et maintenant, il faut que je retourne chez moi, et je ne peux plus traverser ! »

« Comment t'appelles-tu ? » demanda Oghim.

« Zotaï », dit l'enfant.

« Eh ! bien, Zotaï, ce n'est pas bien compliqué. Monte sur mon dos, et je te transporterai de l'autre côté. »

« Nous devons repartir sans plus tarder, Oghim, remarqua Galaas, rappelle-toi ce que t'a dit le vieil homme dans le miroir. »

« C'est un enfant ! protesta Oghim, scandalisé. Sa famille l'attend. Nous ne pouvons pas le laisser là sans l'aider ! »

Il prit l'enfant sur son dos et s'envola de nouveau au-dessus du torrent. Puis il l'emmena suffisamment loin de l'autre rive pour le remettre dans le bon chemin sans qu'il coure le risque de rencontrer le karaïker de la veille. L'enfant l'embrassa et le remercia avec effusion, puis s'éloigna en chantant dans le sentier. Oghim repartit et revint se poser près de Galaas qui l'attendait, assis sur son sac. « Aïe, constata-t-il, je suis tout vermoulu ! »

« Je t'avais prévenu », dit Galaas, morose.

« Mais cela n'en valait-il pas la peine ? »

« Sans doute », dit Galaas.

Au même instant, Oghim sentit le miroir lui brûler la peau. Il le sortit de sa chemise et y vit le visage sévère du vieux mendiant.

« Que t'avais-je dit, Oghim ? »

« C'était juste un enfant », protesta Oghim. Puis, en voyant que la sévérité du vieil homme ne s'atténuait pas : « Je ne le ferai plus, c'est promis. »

Le vieux mendiant hocha la tête et son image disparut du miroir.

Oghim se mit en marche derrière Galaas, en essayant d'oublier ses muscles endoloris. Sûrement, les dieux ne lui avaient pas donné ce pouvoir pour qu'il ne s'en serve pas ? Et sûrement pas pour qu'il s'en serve uniquement pour lui-même ? D'ailleurs, il s'en était servi pour sauver Galaas, et les dieux n'avaient rien dit à ce propos... Mais les dieux étaient les dieux, et s'ils étaient un peu étranges, qui pouvait s'en étonner ?

Et c'est ainsi qu'Oghim Karaïdar devint le premier humain capable de voler, le premier tzinan.

13

« Je croyais que c'était Lileïniloo qui était la première tzinan », dit enfin Tikarek, déconcerté.

« Oui et non, dit Tinguem. Le don de Lileïniloo lui venait directement de Hananai. Oghim, lui, c'était autre chose. »

« Mais Oghim, c'était les dieux qui lui avaient donné ce pouvoir, non ? »

Je ne dis rien, je m'enfonce dans mon fauteuil en retenant un sourire, curieuse de voir comment les parents du petit vont s'en tirer. Peut-être en revenant à l'Histoire ? En expliquant les grands brassages de population qui ont suivi les guerres de Conquête – et comment, en conséquence, les dons latents ont fini par faire surface ? La capacité de léviter était surtout présente chez les Hébao – c'est cela aussi que raconte l'histoire de Lileïniloo. Et dans le conte d'Oghim, la mère du prince est une Hébaë, c'est pour cela que ce don-là est le premier à se révéler chez lui…

« Eh bien, pas vraiment, Tika, intervient Menthilee. Ce ne sont pas vraiment les Ékelli qui donnent ses pouvoirs à Oghim, car rappelle-toi, les Ékelli ne sont pas des dieux, pas même des dzarlit. Oghim croit qu'ils en sont, mais ils n'en sont pas. »

« Ah bon », dit Tikarek. Visiblement, il n'est pas convaincu.

« Et maintenant, la suite », dit Mirat.

« Attendez, dit soudain Menthilee. Tikarek ne connaît pas l'histoire de Matal Ughataï. »

« Qui c'était, Matal Ughataï? » demande inévitablement le petit.

« C'est vrai, on ne lui a jamais raconté », dit Mirat. Il se tourne vers les jumelles.

« C'était un Prince des Hébao », dit Stéloni avec obéissance.

« L'aîné de la famille des Ughataï », ajoute Maroussia.

« Il vivait à Palangudzer, à la pointe nord du Grand Lac, reprend Stéloni. La dynastie des Ughataï possédait une fleur magique qui leur permettait de faire beaucoup d'enfants : c'était la Fleur de Palang, et le magicien du Roi, Askorch, en était le gardien pour les Ughataï. Mais en réalité, Askorch voulait devenir le maître de Palang et convoitait la Fleur pour lui-même. »

Maroussia continue : « Askorch s'arrangea en secret pour que la fiancée de Matal Ughataï épouse quelqu'un d'autre. Il connaissait bien Matal et savait qu'il essaierait de se venger en volant la Fleur de Palang, car ainsi, s'il ne pouvait pas avoir d'enfants de sa propre lignée, personne ne pourrait en avoir du tout. »

Elle hausse les épaules avec une petite moue : « Matal Ughataï pensait de cette façon. Ce n'était pas quelqu'un de très aimable, dans sa jeunesse ! »

Stéloni enchaîne : « Seuls les Ughataï pouvaient toucher la Fleur de Palang sans être réduits en cendres, Askorch le savait. Il savait aussi qu'étant un magicien, en touchant la Fleur il perdrait lui-même une grande partie de ses pouvoirs, mais pas tous. Mais ce n'était pas pour rien qu'il s'était arrangé pour la faire voler par Matal Ughataï : comme tout le monde saurait que le voleur ne pouvait être que Matal, le Prince ne deviendrait jamais Roi, et Askorch serait ainsi débarrassé du principal obstacle à ses ambitions. D'ailleurs, en rapportant la Fleur à Palang, Askorch s'assurerait de la reconnaissance du Roi, ce qui lui serait bien utile par la suite. Après le vol et la fuite de Matal, Askorch déclara donc au Roi consterné qu'il retrouverait le talisman des Ughataï. Il suivit Matal et réussit à reprendre la Fleur en perdant la majorité de ses pouvoirs à son contact, comme il s'y attendait. Il ne les retrouverait qu'à la mort de Matal Ughataï, l'enchantement de la Fleur le voulait ainsi. Mais il se rendit compte qu'avec les maigres pouvoirs qui lui restaient, il n'était pas capable de vaincre Matal, qui était un grand guerrier. Il lui fallait donc attendre que Matal meure de lui-même, quitte à l'aider un peu. »

« Il s'arrangea pour placer la Fleur de Palang au sommet d'une montagne escarpée, car il savait que Matal essaierait de la reprendre, conclut Menthilee. Et pour le reste, Tikarek, écoute Grand-mère Eïlai. »

▲　▲　▲

Au bout de quelques jours, tout comme l'exercice sur la terre ferme endurcit les muscles, les exigences de son nouveau pouvoir avaient endurci les muscles d'Oghim. Joyeux comme un enfant, le prince ne se lassait pas de voler au-dessus des rochers, au-dessus des arbres, et il riait de la lenteur de son compagnon Galaas.

Ils arrivèrent ainsi à une cabane isolée, en ruines, au pied de la montagne. Un vieil homme se trouvait là en train de mourir. Près de son grabat étaient placés une armure ornée d'or, une épée et une lance de srid, et un bouclier dont les ciselures d'une merveilleuse délicatesse représentaient la Grande Chasse de Matal Ughrataï. Stupéfait, Oghim s'agenouilla près du vieillard. « Vieil homme, lui demanda-t-il, comment ces objets sont-ils arrivés en ta possession ? Les hommes de Palangudzer pleurent depuis bien des Saisons la disparition de Matal Ughrataï. L'as-tu donc rencontré ? Qu'est-il advenu de la Fleur de Palang ? »

Le vieil homme eut un faible et triste sourire : « Je suis Matal Ugh ataï, et ces armes sont les miennes. »

« Laisse donc ce vieillard en paix, dit Galaas, Il va mourir bientôt. Occupons-nous plutôt de trouver une passe dans la montagne. »

« Mais c'est Matal Ugh ataï! protesta le prince. Ne connais-tu pas son nom ? Et même s'il n'était pas Matal, pourrais-tu le laisser mourir ici tout seul ? Donne-lui de ton vin, qu'il retrouve assez de forces pour nous raconter ce qui lui est arrivé. Ainsi il ne mourra pas tout à fait dans la mémoire des hommes. »

Galaas donna donc du vin des dieux au vieil homme, qui se tourna vers la fenêtre par où on voyait la montagne : « Vois-tu ce pic, au-dessus des nuages ? »

« Oui, dit Oghim. Quelque chose vole alentour. » Ce devait être un oiseau énorme, pour être visible à cette distance.

« C'est le magicien Askorch. Il m'a suivi depuis Palangudzer et m'a dérobé la Fleur pendant mon sommeil. Il s'est transformé en agraïllad et s'est installé au sommet de la montagne en attendant que ma mort rompe l'enchantement qui le prive du reste de ses pouvoirs. Alors, il retournera avec la Fleur à Palangudzer et y régnera pour l'éternité, tandis

177

que le nom des Ughataï s'éteindra pour toujours. Bien des fois, espérant tromper sa vigilance, j'ai tenté d'escalader la montagne, mais elle est trop escarpée. J'ai échoué, et maintenant je vais mourir. »

« J'irai chercher la Fleur », dit Oghim, saisi de compassion devant la détresse du vieux héros et oubliant encore une fois l'ordre des Ékelli. « Askorch ne me fait pas peur. J'irai chercher la Fleur et je la rapporterai aux Ughataï de Palangudzer. Leur nom reprendra force lorsque des enfants leur naîtront à nouveau. »

Et Oghim se servit de son pouvoir pour voler jusqu'au sommet de la montagne, où il trouva Askorch endormi près de la Fleur de Palang brillant de mille feux sur la pierre rouge. Le magicien s'éveilla à son approche, prit la forme de l'agraïllad et se précipita sur lui pour le jeter au bas de la montagne. Mais grâce à son pouvoir Oghim vola aisément à l'écart. Askorch reprit sa forme humaine et dit alors :

« Qui es-tu, jeune audacieux ? Sache que je suis Askorch, le maître de la Fleur de Palang, le plus grand magicien que la terre ait jamais porté. Je pourrais te réduire en cendres, mais je n'en ferai rien par pitié pour ta jeunesse, si tu me dis comment tu es arrivé ici. »

Oghim se mit à rire : « Je suis Oghim Karaïdar, et tu es seulement le plus grand menteur que la terre ait jamais porté. Tu n'as plus guère de pouvoirs depuis que tu as touché la Fleur de Palang, et tu ne les retrouveras tous qu'après la mort de Matal Ughataï. Donnemoi la Fleur, Askorch, et peut-être te laisserai-je vivre. »

« Prends-la donc », dit Askorch. Et il alla s'asseoir à l'écart en ricanant. Oghim se rappela alors la nature de l'enchantement qui liait la Fleur aux Ughataï. Seuls un homme ou une femme de leur famille – ou un puissant magicien – pouvaient la toucher de leurs mains nues ; tout autre était foudroyé...

Mais il lui vint une idée : s'il avait pu transporter son propre corps de l'autre côté de la rivière, et celui de Galaas, et celui de l'enfant Zotaï, ne pouvait-il transporter la Fleur, qui était bien plus légère, mais sans la toucher ?

Et sous le regard et la volonté d'Oghim, la Fleur se souleva du rocher où elle reposait et vint flotter devant lui. Askorch s'élança sur la Fleur, mains tendues pour la retenir, mais il n'était plus assez magicien : à peine l'eut-il effleurée que son corps s'embrasa, et il ne resta bientôt plus de lui que des cendres emportées par le vent.

Oghim redescendit de la montagne, avec la Fleur qui flottait devant lui, et il revint auprès de Galaas qui l'attendait au chevet de Matal Ughataï. Le vieillard contempla la Fleur avec ravissement et se redressa sur sa couche pour la prendre entre ses mains : « Sois béni, fils de Karaïd, dit-il en pleurant de joie, je sens que mes forces reviennent. Avec la Fleur de Vie, tu m'as rendu la vie. Ne t'arrête pas plus longtemps pour moi. J'irai moi-même rapporter la Fleur dans la cité de mes pères, la mort m'attendra jusque-là, je le sens. »

Et il se leva pour revêtir son armure de srid et d'or. Oghim s'émerveillait de cette vigueur retrouvée lorsqu'il sentit le miroir des Ekelli lui brûler la peau. Il se rappela alors leur avertissement : « Que personne ne te détourne plus de ton chemin, ni enfant, ni homme ni femme. » Le désespoir l'étreignit. Il prit le miroir et y regarda avec appréhension. Le vieux mendiant lui apparut aussitôt, l'air courroucé :

« Tu as encore désobéi, Oghim ! Mais tu as été plus étourdi que véritablement désobéissant. Nous serons cléments cette fois encore. Poursuis ta route, mais souviens-toi : tu n'as rien de commun avec les humains ordinaires. Ne perds pas davantage ton temps avec eux. »

Oghim remercia les Ékelli de leur bienveillance, comme il convenait. Mais le doute était entré dans son cœur : aurait-il dû laisser Matal Ughataï mourir sans essayer de le secourir, comme il aurait dû ne pas aider l'enfant Zotaï? À quel prix retrouverait-il donc son ombre? Faudrait-il pour elle perdre tout ce qui le rattachait à ses frères humains? En quoi était-il si différent d'eux, après tout? Même s'il n'avait pas d'ombre, ne pouvait-il sentir leurs peines et rire avec leurs joies?

Oghim reprit sa route avec Galaas, mais il marchait à présent, car il n'avait plus le cœur à voler.

Et c'est ainsi qu'Oghim Karaïdar devint le premier humain capable de transporter des objets sans les toucher, le premier keyrsan.

14

« Est-ce que Matal Ughataï a réussi à ramener la Fleur ? » demande Tikarek, rompant le silence qui avait suivi la fin du récit.

Mirat sourit : « L'histoire ne le dit pas, mais je crois que oui. »

« Il y a une fleur à Palang, en tout cas, au Temple, remarque Tinguem. Superbe pièce d'orfèvrerie, Septième Dynastie. »

« Mais les Ékelli sont arrivés après la Septième Dynastie, non ? »

« Se sont manifestés officiellement après la Septième Dynastie, corrige Tinguem, un index levé. Ils étaient là depuis bien plus longtemps. »

Mirat hausse les épaules : « Les Karaïdar sont de bien après l'Unification, de toute façon. Oghim est né vers 560 après Markhal. Si on commence à vouloir mettre des dates… »

« Oghim a vraiment existé ? » interrompt Tikarek, en ouvrant de grands yeux.

« Mais oui, dit Menthilee. C'est un des ancêtres de Grand-mère Eïlai. C'est donc un de tes ancêtres à toi aussi. Veux-tu savoir la suite de l'histoire ? »

Le petit me regarde un moment sans rien dire, visiblement dérouté par cette rencontre entre l'Histoire et les histoires. Les jumelles n'ont manifesté aucun don pour l'instant, leur mère n'en a jamais eu, Mirat et Tinguem non plus. Les chances sont donc très faibles qu'un don se déclare au dernier moment, lors de la puberté, quoique ce soit toujours possible. Mais Tikarek... il s'entend remarquablement bien avec les banki, surtout le blanc, et c'est souvent un indice. Ça l'a été pour moi en tout cas et Menthilee le sait bien... Alors, je fais signe au petit de revenir sur mes genoux, et je reprends l'histoire d'Oghim, même si Tikarek n'a que quatre Saisons : j'avais cet âge-là, après tout, quand mon père me l'a racontée...

▲ ▲ ▲

Après avoir dit adieu à Matal Ughataï, Oghim et Galaas reprirent leur marche vers le nord. Ils voyagèrent pendant des jours et des jours sans incident le long de la rive ouest du Grand Lac et de la plaine d'Aëlhondal, tandis que le Printemps devenait l'Été. Puis, vers la fin de l'Automne, ils entrèrent dans l'épaisse forêt qui recouvre les collines d'Aël-kreïtao, entre la Maalsaon et la Hleïtsaon. Oghim avait grandi, c'était un jeune homme à présent – mais il n'avait toujours pas d'ombre...

Ils marchaient d'un bon pas sous les feuillages rouges de l'Automne quand tout à coup, au détour d'un chemin, un homme se dressa devant eux en brandissant une épée. Il était à demi-nu, ses cheveux en broussailles lui couvraient le visage et son corps portait de nombreuses blessures encore fraîches. « Où allez-vous ? » gronda-t-il, et ses dents se découvraient comme celles d'une bête sauvage.

« Dans le Nord, à l'île des Dieux, dit Oghim. Nous ne faisons que passer. »

« Ton déguisement ne me trompe pas, Bayïsil ! s'écria l'inconnu. Tu es revenu me la prendre, mais je saurai t'en empêcher encore une fois ! »

Et il s'élança sur Oghim, l'épée haute. Oghim l'esquiva avec facilité en flottant hors de son chemin, et lui dit : « Nous ne te voulons aucun mal, étranger, et nous ne savons pas de quoi tu veux parler. »

Mais déjà l'homme revenait à la charge. Oghim se mit à l'abri en flottant de nouveau hors d'atteinte ; l'homme poussa un cri de rage et se retourna contre Galaas. « Tue-le, Oghim ! » cria celui-ci d'un ton piteux en essayant de se cacher derrière un tronc d'arbre.

« Pourquoi le tuer ? dit Oghim. Ce malheureux n'a plus toute sa raison. » Il s'approcha par derrière de l'homme qui essayait de frapper Galaas et, avec sa ceinture, il l'immobilisa sans peine. L'homme se débattit un moment, mais il n'avait pas de force, et soudain il se mit à pleurer comme un enfant.

« Quel est ton nom ? lui demanda Oghim avec douceur. Où est ta maison ? »

« Il ne t'entend pas, grommela Galaas. Il ne te voit même pas. Il n'a d'yeux et d'oreilles que pour sa folie. Laissons-le et poursuivons notre route. »

Oghim protesta que les bêtes sauvages attaqueraient l'homme, et qu'il ne pourrait se défendre. « Mais si tu le détaches, dit Galaas, il nous attaquera de nouveau. »

Oghim décida alors de trouver la demeure de l'homme fou, s'il en avait une.

Ils arrivèrent bientôt à une petite cabane qui se dressait toute seule au milieu d'une clairière. Il régnait une odeur épouvantable. En voyant la cabane, l'homme fou poussa un cri et recommença à se débattre en essayant de se jeter sur Oghim et en criant : « Tu n'as pas le droit de me la prendre, tu n'as pas le droit ! » Tandis que Galaas l'attachait de nouveau, Oghim entra dans la cabane d'où émanait une odeur de mort. Sur un lit de branchages reposait le corps d'une jeune fille vêtue d'une robe nuptiale. Elle avait la gorge tranchée, mais un large collier de pierres bleues recouvrait la blessure.

Ils portèrent le lit dehors, creusèrent une tombe et y enfouirent le corps de la jeune fille. Puis ils brûlèrent la litière funèbre et la maison. L'homme fou, épuisé par ses cris et ses efforts pour se libérer de ses liens, était tombé à terre et pleurait faiblement. Oghim examina ses blessures et entreprit de le soigner tandis que Galaas partait dans la forêt à la recherche d'herbes odorantes pour dissiper l'odeur affreuse qui s'attardait dans la clairière.

Lorsqu'il revint, il dit à Oghim qu'il avait trouvé le corps d'un homme jeune, mort depuis quelque temps de nombreuses blessures, et qui portait au cou le même collier que la jeune fille morte. Ce devait être son frère ou son époux, car seuls les membres d'une même famille portaient de tels colliers dans ce pays. L'homme fou était sûrement le meurtrier de l'inconnu comme de la jeune fille.

« N'accuse pas sans savoir, dit Oghim. Donne-lui plutôt de ton vin, et peut-être retrouvera-t-il assez de bon sens pour répondre à nos questions. »

Galaas obéit, et l'homme fou parut sortir d'un rêve dès qu'il eut avalé la première gorgée du vin des dieux. Il regarda autour de lui et demanda avec anxiété : « Où sont-ils partis ? Étranger, si tu les as vus, dis-le moi, je t'en supplie ! »

« Qui donc ? »

« Ma compagne, Alisthyn, et son frère, qu'il soit maudit ! S'il l'a emmenée, il la tuera ! »

« Pourquoi un frère tuerait-il sa sœur ? » demanda Oghim.

« Parce qu'il ne l'aime pas comme un frère, répondit l'homme avec désespoir. Il a juré de la tuer plutôt que de la laisser à un autre homme. C'est aujourd'hui le jour de nos noces. Dis-moi si tu les as vus, ou elle est perdue ! »

Oghim libéra l'homme de ses liens et l'emmena dans la forêt, là où Galaas avait trouvé le cadavre au collier de pierres bleues. Lorsqu'il le vit, l'homme fou devint semblable à une statue : « C'est Bayïsil, murmura-t-il. Je l'ai tué en combat singulier, je me rappelle, maintenant. Mais où est Alisthyn, où est ma bien-aimée ? »

Oghim prit la main de l'homme et lui dit alors avec compassion : « Elle est morte. Nous l'avons enterrée. » Et il le ramena dans la clairière. L'homme ne voulait pas le croire et de ses mains nues se mit à creuser la terre de la tombe. Un morceau de la robe nuptiale rouge apparut bientôt, et l'homme cessa de creuser. Il se releva et dit : « Je me rappelle. Elle est morte. Bayïsil l'a tuée. »

Et il tomba aux pieds d'Oghim comme s'il était mort lui-même.

Galaas essaya de le réveiller grâce aux remèdes qu'il connaissait, mais en vain. « Son esprit est trop loin, dit-il enfin. Il faudrait pouvoir lui parler sans passer par les voies de son corps, qu'il a fermées. »

Alors Oghim aveugla ses yeux, ferma ses oreilles et scella sa bouche, et son esprit partit à la recherche de l'esprit de l'homme fou.

Ce fut un long voyage à travers une contrée aride et désolée. En se retirant, l'homme fou avait tout brûlé, et le vent avait un goût de poussière. En chemin, Oghim traversa un village où se tenaient des hommes, des femmes et des enfants figés comme des statues sans visage, et c'étaient les souvenirs de l'homme fou ; car le temps s'était arrêté et avec lui la vie qui avait animé tous les souvenirs. Oghim continua pourtant d'avancer, et enfin, au fond de la mémoire ravagée, il trouva l'homme perdu qui s'y était caché. Toutes ses blessures s'étaient rouvertes, et il pleurait du sang.

Oghim le prit dans ses bras, il pleura avec lui, et là où ses larmes tombaient, les blessures de l'homme se refermaient. Enfin, il lui dit : « Viens avec moi. » Et l'homme le suivit, parce que l'esprit d'Oghim avait su le retrouver et le guérir.

Et c'est ainsi qu'Oghim Karaïdar devint le premier humain capable de connaître et de partager les pensées et les émotions d'autrui, le premier danvéran.

15

Je m'arrête un moment, je bois une gorgée de thé froid. Curieux comme j'ai toujours du mal à raconter cette histoire jusqu'au bout. Elle coupe trop près de l'os. Après tout ce temps, pourtant, je devrais avoir fait la paix avec ma propre histoire. Mais il semble que le temps ne soigne pas aussi bien que je l'espérais lorsque j'étais plus jeune... Tikarek me regarde d'un air impatient, je lui souris, et je reprends.

▲   ▲   ▲

Bientôt, tandis que l'Automne devenait l'Hiver, les Longues Collines se transformèrent peu à peu en montagnes et les deux voyageurs pénétrèrent dans la région du brouillard éternel qui entoure le Leïteltellu, comme un écrin enserre un bijou...

Au sortir du brouillard, le lac étincelait vraiment comme un bijou, une vaste étendue orangée sous le soleil, car c'était maintenant le Printemps, la Saison où les bêtes minuscules qui vivent dans les eaux du lac changent de couleur. Du haut de la dernière rangée de collines, Galaas se retourna avec fierté vers Oghim : « Nous sommes arrivés. »

« Je ne vois pas d'île », murmura Oghim.

« Bien sûr, dit Galaas sans se troubler, sa Barrière la rend invisible de loin. Il nous faut aller jusqu'au cap de Mérèn-Ilïu. »

Et en effet, quand ils furent arrivés au Cap, Oghim put voir la Barrière à un langhi de là, toute proche. Plutôt que la voir, on la devinait – c'était comme une étrange paroi de verre en fusion, ou de fumée presque solide. Les limites avec le ciel en étaient imprécises, changeantes. Des couleurs se tordaient rêveusement dans les profondeurs et dessinaient des silhouettes qui ne prenaient jamais vraiment forme. Mais tout autour de la Barrière, depuis le Cap, on pouvait voir très distinctement le courant impétueux qui l'entourait, comme si elle avait été un gigantesque récif où se seraient brisées les eaux du lac, même quand il n'y avait pas de vent.

« Dois-je voler jusque-là ? » demanda Oghim, un peu incertain.

« Ni voler, ni nager, dit Galaas. La Barrière tue les êtres humains qui la touchent. »

Oghim le dévisagea avec incrédulité : « Tu veux dire que l'île des Dieux est là, et que je ne peux pas y aller ? »

« J'en ai bien peur », dit Galaas.

« Pourquoi ne pas me l'avoir dit plus tôt ? »

« Tu ne me l'as pas demandé. Et puis, est-ce que je sais, peut-être as-tu encore un autre pouvoir dans ta manche. Les dieux t'ont aidé jusqu'à présent, n'est-ce pas ? »

Oghim acquiesça, mais sans véritable conviction. Il n'était plus si certain à présent que les dieux voulaient sa réussite. Chaque fois qu'un nouveau pouvoir s'était révélé, c'était alors qu'il essayait d'aider quelqu'un, et les dieux avaient toujours manifesté de l'irritation par le truchement du miroir magique. Cette fois-ci, personne d'autre que lui n'avait besoin d'aide, et il doutait sérieusement d'en trouver...

Au village de Mérèn-Ilïu, la pêche se terminait – les atéhani ne sont bons à capturer qu'au Printemps, après la saison du frai, quand le poison de leur chair rosée vient se répandre pour un temps à la surface de leurs écailles...

Je ne lève pas les yeux, mais je sens le regard de Menthilee sur moi. C'est ainsi que son père Melnas est mort, au Printemps, en la sauvant des poissons empoisonnés. Et c'est alors que je suis repartie vivre chez les Chasseurs...

... Mais aucun pêcheur n'accepta de conduire Oghim à l'île des Dieux. Aucun n'accepta non plus de lui vendre sa barque : « Il ne convient pas d'aider un homme à mourir, disaient-ils. Aucun homme vivant n'a jamais traversé la Barrière. »

Mais enfin, dans une petite crique à l'écart du village, Oghim trouva un vieil homme presque aveugle qui ravaudait à grand peine ses filets. Le prince lui demanda s'il accepterait de lui vendre sa barque.

« Le poison des atéhani a tué mon fils aîné, le deuxième s'est noyé dans le lac. Il ne me reste plus que Karyk, il est trop jeune, et moi je suis trop vieux pour la pêche, comme ma vieille barque. Mais c'est notre seule barque. »

Oghim contempla le lac écarlate soulevé par les vagues : les atéhani agitaient l'eau de leurs amours empoisonnées. « Et si je te pêchais assez de poissons pour remplir ta quote-part et t'acheter une barque neuve, me donnerais-tu la vieille barque ? »

« Je te la donnerais, bien sûr, dit le vieux pêcheur. Mais les poissons sont forts et rusés, et le lac est dangereux, mes pauvres fils en savent quelque chose... »

« Ne t'en fais pas pour moi », dit Oghim. Et son pouvoir de keyrsan alla chercher les poissons les uns après les autres dans la chaleur des eaux profondes, les amena à la surface et les traîna sur le rivage où ils ne tardèrent pas à mourir ; et le pouvoir souleva le sable pour les envelopper et les frotter, débarrassant leurs écailles du poison qui les rendait mortels.

Le vieillard se jeta aux genoux d'Oghim, plein de terreur : « Prends ma barque, ô Magicien, et pardonne-moi de ne pas te l'avoir donnée tout de suite ! »

Oghim le releva en disant qu'il n'était nullement un magicien mais un homme comme lui, auquel les Ékelli avaient accordé quelques pouvoirs. À ce moment le soleil sortit des nuages, et le vieux pêcheur vit qu'Oghim n'avait pas d'ombre. Il se jeta à genoux de nouveau, trop terrorisé pour pouvoir parler, cette fois. Avec un soupir las, Oghim le releva encore et lui demanda s'il connaissait un passage à travers la Barrière.

« Non, dit le vieil homme en tremblant, et si tu veux aller dans l'Île, c'est que Hananai t'a rendu fou. Nul homme vivant n'a jamais traversé la Barrière. »

Oghim et Galaas aidèrent le vieil homme à transporter les poissons au village avec son jeune fils, puis ils revinrent à la crique. Oghim resta longtemps à regarder les couleurs de la Barrière se transformer au fil des heures. De temps en temps, il consultait le miroir, espérant un signe des Ékelli. Mais le miroir restait froid et muet.

« Eh ! bien, dit enfin Oghim, puisque nul homme vivant n'a jamais traversé la Barrière, c'est mort que je la traverserai. Si telle est la volonté des Ékelli, qu'elle s'accomplisse. »

Galaas eut beau essayer de le dissuader, le prince ne voulut pas revenir sur sa décision : il n'avait pas fait tout ce long voyage pour échouer si près du but. Il préférait mourir plutôt que de rester sans ombre parmi les hommes.

Au matin, il s'embarqua donc sur la vieille barque du pêcheur, seul avec son épée. Et lorsqu'il fut arrivé à l'endroit où le courant pénètre dans la Barrière, il se plongea la lame dans le cœur.

Il sentit comme un grand froid. Il eut l'impression de s'endormir et juste le temps de penser, tristement, qu'il avait échoué. Puis, sans transition, il entendit une voix qui disait : « Éveille-toi, Oghim. »

Il essaya d'ouvrir les yeux, mais en vain.

« Éveille-toi, Oghim », répéta la voix.

Il sentit qu'il était étendu sur une surface dure et que la voix résonnait comme dans un vaste espace clos, mais il ne parvint pas à ouvrir les yeux.

« Éveille-toi, Oghim », dit la voix pour la troisième fois.

Alors seulement Oghim put ouvrir les yeux. Il se trouvait au milieu d'une salle immense dont il ne pouvait distinguer les limites dans la lumière des Ékelli. Il s'assit et chercha la blessure de son cœur – mais ne la trouva pas. Une grande joie l'envahit à l'idée qu'il était enfin arrivé dans l'Île.

« Tu as fait un long voyage pour arriver jusqu'à nous, Oghim Karaïdar, dit la voix qui venait de la lumière. Désires-tu toujours retrouver ton ombre ? »

« Oui ! » dit Oghim.

« Nous t'avons donné de nombreux pouvoirs en chemin, te voilà plus qu'un homme, reprit la voix. Cela ne te suffit-il pas ? »

Oghim se leva, soudain incertain. « Suis-je plus qu'un homme ? murmura-t-il. Vous qui voyez dans les cœurs, ne voyez-vous pas comme le mien est plein de crainte, de doute, d'orgueil ? Je ne suis qu'un homme. Moins qu'un homme, puisque je n'ai pas d'ombre. Rendez-la moi, je vous en prie, et peut-être alors pourrai-je me rendre digne de vos bontés. »

« Il te faut choisir, Oghim, dit la voix. Ton ombre ou tes pouvoirs. »

Oghim resta un long moment silencieux, atterré. Il songeait à tout ce qu'il pourrait accomplir grâce à ses pouvoirs... Mais ne voulait-il pas vivre parmi les hommes ? Comment le pourrait-il si le soleil ne marquait pas sa place à côté d'eux sur la terre ?

Et pourtant, il se rappelait l'ivresse de voler comme un oiseau dans le ciel libre.

« Ô Ékelli, vous êtes cruels, dit-il en pleurant. Donnez-moi mon ombre et reprenez vos pouvoirs. La puissance de l'amour est aussi grande, et elle ne me séparera pas de mes frères. »

Il resta à genoux, tremblant de son audace. Mais il entendit les voix des autres Ékelli qui manifestaient leur approbation devant son choix.

« Voici ton ombre, Oghim Karaïdar, dit la voix qui venait de la lumière. Elle a toujours été en toi, et elle y sera toujours. Mais maintenant, les autres pourront la connaître aussi. »

Et dans la lumière se forma comme un nuage qui prit peu à peu la forme d'un corps humain devant Oghim. C'était une jeune fille, et elle ressemblait à Oghim comme une sœur. Oghim tendit la main et toucha son ombre. Un instant elle resta devant lui, souriante, puis, par la main qui la touchait, Oghim la sentit entrer en lui, et lorsqu'il regarda à ses pieds, il vit une forme noire découpée par la lumière des Ékelli, et qui lui ressemblait.

« Nous sommes moins cruels que tu ne le penses, Oghim Karaïdar, reprit la voix. Tu conserveras tes pouvoirs, toi ainsi que tes descendants. Continue à en faire bon usage et ils ne te quitteront pas. Utilise-les pour le mal, et c'est ton ombre qui te quittera, sans qu'il soit au pouvoir de personne, alors, de jamais te rendre à toi-même. »

Et c'est ainsi qu'Oghim Karaïdar devint le premier humain à posséder tous les pouvoirs à la fois, le premier Hékel.

16

« Mais l'histoire ne finit pas là », dit Menthilee dans le silence.

Je croise son regard. Il est sans rancune, plein
de compassion, mais résolu. Je hoche la tête : je
n'avais pas l'intention de m'arrêter là non plus.

▲ ▲ ▲

Après avoir remercié les Ékelli, Oghim
quitta leur temple. Il marchait vers le rivage
de l'île quand il sentit soudain une étrange
torpeur l'envahir. Il se coucha sur le sol et
ferma les yeux.

Et dans ce sommeil qui n'était pas un sommeil, il lui vint une vision.

Un jeune homme était debout dans sa
vision, et il ne ressemblait à aucun des
hommes qu'avait pu rencontrer Oghim au

cours de son long voyage vers le nord. Il portait un pantalon très court qui lui découvrait les jambes et un curieux maillot sans manche, collant, et largement ouvert sur la poitrine. Il avait la taille d'un adolescent, sa peau était très claire, presque blanche, et ses yeux étaient d'une couleur inconnue pour les yeux des humains sur Tyranaël : bleus comme le ciel d'Été au-dessus du Hleïtan. Sur son front comme sur sa poitrine au-dessus de l'échancrure de sa chemise, il y avait une cicatrice en forme d'éclair. Le jeune homme regardait un grand Tyrnaë penché vers lui, et son esprit était en proie à la plus grande confusion. Il fit un pas en arrière en prononçant le nom de Galaas, et c'était une question.

« L'Étranger, l'Étranger », criait la foule joyeuse, comme si elle avait reconnu le jeune homme. Et le jeune homme comprenait ces paroles, mais sa confusion ne diminuait pas. Une très jeune Paalao aux cheveux noirs vint rejoindre le Tyrnaë qui se tenait devant l'étranger. Elle offrit ses mains en signe de bienvenue et dit à l'étranger de ne pas avoir peur.

« Je m'appelle Matieu », murmura-t-il, dans la langue d'Oghim.

Et tout disparut, comme soufflé par le vent.

Oghim se réveilla sur la berge de l'île. « Que m'est-il arrivé ? » demanda-t-il à haute voix.

« Je ne sais pas », dit Galaas, qui était assis près de lui.

Oghim, encore plus étonné, lui demanda comment il avait fait pour franchir la Barrière, mais Galaas dit seulement : « C'est ici que j'habite, quelquefois. »

Oghim comprit alors qui l'avait accompagné dans son voyage. Il s'agenouilla avec respect, mais l'Ékelli le releva et l'embrassa en lui disant : « Tu m'as offert ton amitié lorsque nous nous sommes rencontrés pour la première fois, Oghim. Ne sommes-nous plus des amis ? Raconte-moi plutôt ce qui t'est arrivé pendant ton sommeil. »

Mais lorsqu'Oghim eut terminé son récit et lui demanda de nouveau le sens de sa vision, l'Ékelli ne put que répondre encore : « Je ne sais pas. »

▲ ▲ ▲

Je me tais. L'histoire n'est pas finie, pourtant. Mais j'ai besoin de m'arrêter un moment, et personne ne rompt le silence, pas même Tikarek, qui a peut-être senti la tension. Malgré moi, ma voix est un peu éraillée quand je reprends.

Et Oghim lui-même ne le sut pas avant très longtemps, mais il avait fait un Rêve, le premier de tous les Rêves qui ont été ou seront vrais un jour. C'était un pouvoir dont il ne pourrait jamais disposer à sa guise. Au contraire, ce serait le pouvoir qui disposerait d'Oghim, et des enfants de ses enfants. Mais il lui avait été accordé afin de comprendre la générosité du Temps et d'apprendre que tout, quelque part, était, serait ou avait été, et que c'était bien ainsi.

Cette fois je ne peux pas continuer, et Menthilee termine à ma place :

Arrivé au bord du Leïteltellu, Galaas embrassa encore Oghim, avec regret : « C'est ici que nos chemins se séparent. Je dois rester pour un temps parmi mes compagnons. Va, la Barrière ne peut plus t'arrêter. »

Oghim traversa donc la Barrière et retourna chez les siens.

La voix de Tinguem se mêle à la sienne pour murmurer la dernière phrase du conte : « Mais plus jamais il ne revit l'Ékelli Galaas, le Vagabond Divin. »

Le silence se prolonge pendant un moment. Puis la curiosité de Tikarek reprend le dessus : « Oghim était un Rêveur, comme toi, alors, Grand-mère Eïlai ? »

Je hoche la tête.

« Qu'est-ce qu'il avait vu, Oghim, dans son rêve ? »

Tikarek a utilisé le terme qui désigne les rêves ordinaires : il est encore trop petit pour bien faire la différence avec les Rêves des Rêveurs.

Et c'est à moi de répondre, avec les réponses que m'a données mon père quand j'avais l'âge de

Tikarek. Je ne demandais qu'à être rassurée, alors.

« On ne le sait pas. Quelque chose qui arriverait un jour, peut-être. Ou qui était déjà arrivé, dans un des univers créés par Hananai. Car Hananai n'a pas créé que Tyranaël, Tikarek. Notre ciel est plein d'étoiles et d'autres terres, mais ce n'est pas le seul ciel. Il y en a d'autres, avec peut-être d'autres Tyranaël dedans. Et ce sont ces mondes-là que voient les Rêveurs. Ce ne sont pas des rêves comme ceux que tu fais la nuit, Tika. Les Rêveurs Rêvent n'importe quand, même en plein jour. Et ce qu'ils voient dans leurs Rêves est toujours vrai, quelque part, dans un des univers de Hananai, même si les Rêveurs ne comprennent pas forcément ce qui se passe. Et s'ils Rêvent quelque chose qui se passe sur Tyranaël, ils ne peuvent pas savoir si c'est la Tyranaël où ils vivent, ou une autre, dans un autre univers. »

« Quelquefois, on peut le déterminer », remarque Mirat.

« Rarement », murmure Tinguem.

« Mais ce qu'il avait vu, Oghim, insiste Tikarek, ça n'est jamais arrivé, alors ? »

« Pas encore, dit Menthilee, gravement. Mais depuis, d'autres Rêveurs ont Rêvé des Étrangers à la peau blanche. »

Elle attend. C'est Maroussia qui murmure : « Grand-mère Eïlai en a Rêvé quand elle était petite. »

Et bien des fois après, mais à quoi bon préciser?

Tikarek me contemple, les yeux écarquillés. « Est-ce que ça veut dire que les Étrangers arriveront ici? » demande-t-il enfin.

« Pas forcément », dit Menthilee avec une douceur qui s'adresse autant à lui qu'à moi. « Dans les Rêves des Rêveurs depuis Oghim, il y a suffisamment d'exemples de Tyranaël très proches de la nôtre. On ne sait toujours pas bien comment fonctionnent les Rêves, mais peut-être est-ce seulement un effet... d'écho, comme des vagues passant d'un univers à l'autre. »

Je me lève, signifiant que la soirée est terminée. Tikarek a trop de choses à penser pour protester et il se laisse emmener par ses pères, tandis que Menthilee et les jumelles vont porter tasses et soucoupes dans l'évier. Les jumelles viennent m'embrasser – y a-t-il plus d'affection que d'habitude dans leurs baisers? Quand Menthilee m'embrasse, elle aussi, je peux sentir sa tendresse qui m'enveloppe tandis que je me dirige vers ma chambre.

Moi, mes premiers Rêves des Étrangers, c'était des Rêves de guerre et de destruction. J'en ai fait bien d'autres depuis, qui n'étaient pas aussi terribles, et même des Rêves où nous vivions en bon accord avec eux. Mais les Rêveurs ne savent jamais si leurs Rêves peuvent devenir vrais, et c'est le fardeau que j'ai porté toute ma vie, que j'ai emporté dans les Îles, adolescente, en espérant ne pas survivre aux Chasseurs...

Mais j'ai survécu, malgré tout, c'est donc que je désirais survivre, puisque je ne suis pas sûre de croire au hasard. Et si je suis retournée dans les Îles ensuite, après la mort de Melnas, c'était par lâcheté : je ne voulais pas devoir vivre sans lui — j'ai mis plus longtemps que Menthilée à me le pardonner. J'ai survécu cette fois-là aussi, j'ai même été capable de revenir vivre parmi les miens. Mais comme j'ai du mal à faire la paix avec mes Rêves ! Il y a déjà six Saisons que j'ai raconté l'histoire d'Oghim aux jumelles, et c'est à peine plus facile aujourd'hui...

Et pourtant. Quelquefois, je me dis que mes Rêves ne sont pas si différents des histoires que je raconte. Quand je lis les récits de Rêves faits par d'autres Rêveurs, même des Rêves à propos des Étrangers, souvent très différents des miens, ce sont pour moi des histoires, ni plus ni moins. Et ce que je ressens alors, ce n'est pas de la peur, ni de la peine, c'est... de la curiosité. Longtemps j'ai été terrifiée à l'idée que les visions de mes Rêves se réaliseraient de mon vivant ; j'ai de bonnes raisons de penser maintenant qu'il n'en sera rien, même si rien ne me garantit que les jumelles, ou Tika-rek, ne verront pas un jour les Étrangers tomber du ciel. Mais quelquefois, je regretterais presque de ne jamais les rencontrer pour de vrai, ces Étrangers. Mes Rêves — et ceux d'autres Rêveurs qui ont vu les Étrangers — m'ont appris bien des

choses sur eux, mais ce n'est pas pareil...
Quelquefois, je me demande comment ils
seraient, réellement. Comment ils entendraient
nos histoires. Et quelles histoires, surtout, ils
auraient à nous raconter.

Parce qu'après tout, malgré tout, il n'est
peut-être jamais trop tard, n'est-ce pas, pour
apprendre de nouvelles histoires?

L'orthographe des langues de Tyranaël a été simplifiée. Leur mode d'emploi est simple : toutes les lettres se prononcent. Ainsi *danvéran* se prononce « dan(e)véran(e) », *banker* « ban(e)ker », *Toïtsaon* « Toïtsaon(e) », etc. Quelques accents ont été ajoutés ici et là pour faciliter la prononciation, mais en fait les accents ont un usage très particulier dans les langues tyranaëliennes (ils servent à indiquer non pas le son d'une lettre mais le registre de la syllabe contenant la lettre — les langues de Tyranaël sont très musicales). Pour finir : la lettre *h* se prononce toujours comme la « jota » espagnole, c'est-à-dire à peu près comme un *r*, sauf si elle est précédée d'un *s*, auquel cas c'est le son *ch* comme dans « cheval ».

Et un détail qui ne concerne pas la langue : il faut à la planète Tyranaël l'équivalent de quatre de nos années terrestres pour accomplir une révolution complète autour de son soleil : chacune des Saisons de l'année tyranaëlienne correspond donc à une année terrestre.

Lexique

agraïllad, (pluriel agraï) : aigle géant noir et rouge, qui vit dans les plus hautes montagnes.

aïluret : instrument de musique hébaë, plus particulièrement du nord-est de Hébu, assez semblable à une cornemuse.

alnadilim : terme paalao ; enfants issus du même père mais de mères différentes ; les **béraldilim** sont issus de la même mère mais de pères différents. De telles familles sont courantes chez tous les peuples de Tyranaël, à cause de la biologie particulière à la race des Hanao, limitant souvent à un seul le nombre d'enfants qu'un même couple peut avoir.

Aritnao, (pluriel Aritnai) : membres du peuple d'Aritu avant que ce continent ne soit englouti et ne devienne un archipel ; les Aritnai étaient essentiellement des agriculteurs, des navigateurs et des commerçants.

asker, (pluriel aski) : gros quadrupède domestique laitier utilisé comme bête de trait ; on en utilise aussi la laine, mais jamais la viande.

atéhan, (pluriel atéhani) : poissons vivant dans le lac Leïteltellu ; ils exsudent un poison mortel pendant leur période de frai, qui est aussi la seule période de l'année où ils sont comestibles pour les humains.

211

Atiolaï (les) : première race hani ; la racine de ce terme tyrnaë renvoie à l'eau douce ; les Hanao ont évolué à partir d'une race animale aquatique, dans les lacs et les rivières.

baïllad, (pluriel baïlladao) : minuscules créatures multicolores pourvues d'ailes, mi-plantes mi-animaux, dont les essaims communiquent entre eux par leurs configurations colorées et par les parfums qu'émet par chacun de leurs membres. C'est en fait tout l'essaim qui constitue le baïllad, mais le pluriel du mot s'est conservé.

banker, (pluriel banki) : quadrupède intelligent qui tient du chat, du chien et du singe et aime la compagnie des humains. Il en existe deux variétés, vivant dans des zones différentes de Tyranaël : les hanat des montagnes sont plus gros et plus sauvages, les daru des plaines plus petits et plus aimables.

batirik : instrument à vent paalao, sorte de trompette courbe au son aigu.

daklat : instrument de percussion paalao fait de corne et de bois, de type xylophone.

danvéran, (pluriel danvérani) : Hani pourvu du don de télépathie et d'empathie (perception des pensées et des émotions).

darkhonour : instrument à cordes paalao.

dzarlit : « gardiens », êtres semi-surnaturels créés par Hananai pour veiller à la bonne marche du monde.

Ékelli : créatures extra-terrestres qui vivent sur Tyranaël avec les Hanao mais en général à l'écart de ceux-ci, bien qu'ils soient souvent intervenus dans leur évolution (un Ékelli des Ékelli)

fofolod : variété de beignets sucrés en forme de tresse qu'on prépare seulement pour les foires et les fêtes, autour du lac Hleïtan, dans d'énormes marmites spécialement faites pour cela et installées sur la grande place des villes ou des villages pendant toute la durée de l'événement.

gaad : principale céréale de l'hémisphère Nord, semblable au blé, mais dont la farine est jaunâtre.

Hananai : la Divinité créatrice.

Hani, Hanao : nom que se donnent les habitants de Tyranaël ; la traduction en serait « être humain », c'est-à-dire « être conscient ».

Hébaë, Hébao : peuple originellement nomade réparti sur toute la surface de Hébu, mais surtout au sud et à l'ouest. Leur culture reposait sur la cueillette, la chasse et la pêche.

Hébu : continent principal de Tyranaël.

Hékel : un Hani pourvu à la fois de tous les dons — télépathie, télékinésie, lévitation, Rêve (le pluriel est Hekellao).

karaïker, (karaï) : félin géant noir et rouge, semblable à un tigre.

keyrsan, (keyrsani) : Hani pourvu du don de télékinésie (capacité de déplacer des objets sans les toucher).

landraas : céréale de type maïs, dont la farine est légèrement rougeâtre.

langhi : mesure de distance équivalant à mille lani.

lani : mesure de distance ; terme d'origine arit-nao : un lani équivaut à la dimension d'une tige de landraas (ces tiges ont toujours la même taille, environ 1,20 m).

Laonï: pronom à la fois masculin et féminin.

liadao, liadaï : variété d'oiseau bleu et blanc à longues pattes et long cou, qui aime nicher dans les tours des villes.

liadker, liadki : écureuil volant, qu'on trouve surtout dans le nord de Tyranaël, autour du Leïteltellu.

liadparal : instrument hébaë de musique à cordes, de type harpe celtique.

maklatz : instrument de percussion paalao, gros tambour au son particulièrement grave.

malilo : plante grimpante médicinale à fleurs mauves.

Mélingai : variété de conifère.

mokdraas : graminée sauvage comestible.

nairal : plante sauvage aux graines non co-mestibles, mais dont on utilise les feuilles en compresse comme analgésique.

nankesset : instrument à cordes paalao, de type grande harpe, aux cordes très dures.

Paalao, (Paalani) : membres du peuple de Paalu, avant que ce continent ne soit englouti et ne devienne un archipel. Les Paalani étaient à l'origine des éleveurs nomades et de farouches guerriers.

padpit : variété de petits oiseaux vert et brun qui nichent dans les herbes hautes des plaines centrales de Hébu ; leur nom leur vient de leur cri caractéristique pendant la saison des amours.

panodi : jeu hani qui ressemble un peu au jeu de l'oie.

peltraas : plante comestible du nord de Hébu ; on en utilise les graines comme condiment poivré dans la cuisine.

pilpai : flûte à deux tuyaux, instrument hébaë.

pyrnex : animal marin dont la coquille tor-sadée et pointue ressemble à une corne de tovker.

srid : métal semblable à l'acier.

tellaod : pierre dorée, qui emmagasine l'éner-gie solaire pendant la journée pour la restituer la nuit.

tingai : variété d'arbre de très grande taille (les plus grands peuvent avoir 80 m de haut), aux feuilles en forme de main et aux fleurs blanches très parfumées; la graine en est une longue gousse semblable à celle de la vanille, qui sert d'ingrédient dans la pâtisserie.

tinganod : variété de gâteau de style génoise, parfumé aux graines de tingai.

tinkalân : baie utilisée en teinture; son jus est d'un vert intense.

tovker, (tovik) : quadrupède intelligent de grande taille et d'origine féline, pourvu d'une corne frontale torsadée. Lorsqu'ils le désirent, les tovik choisissent des compagnons humains et leur servent de monture, sans selle et sans bride.

Tyrnaë, (Tyrnao) : membres du plus ancien peuple de Tyranaël, originaire du nord de Hébu, plus spécialement du pourtour du lac Leïteltellu. C'étaient des pêcheurs, des agriculteurs et des philosophes.

tzinan, (tzinao) : Hani pourvu du don de lévitation (capacité de se déplacer dans les airs).

uldiga : baie rouge et acide d'un arbuste du sud-ouest de Hébu, qui se présente en grappes serrées; elles ne deviennent comestibles qu'après les premières gelées; on en fait de la confiture.

CHEZ QUÉBEC/AMÉRIQUE JEUNESSE

TITAN JEUNESSE

Cantin, Reynald
    LA LECTURE DU DIABLE #24
    Série Ève
    J'AI BESOIN DE PERSONNE #6
    LE SECRET D'ÈVE #13
    LE CHOIX D'ÈVE #14

Côté, Denis
    NOCTURNES POUR JESSIE #5

Daveluy, Paule
    Série Sylvette
    SYLVETTE ET LES ADULTES #15
    SYLVETTE SOUS LA TENTE BLEUE #21

Demers, Dominique
    Série Marie-Lune
    LES GRANDS SAPINS NE MEURENT PAS #17
    ILS DANSENT DANS LA TEMPÊTE #22

Grosbois (de), Paul
    VOL DE RÊVES #7

Labelle-Ruel, Nicole
    Série Cri du cœur
    UN JARDINIER POUR LES HOMMES #2
    LES YEUX BOUCHÉS #18

Lazure, Jacques
    LE DOMAINE DES SANS YEUX #11
    PELLICULES-CITÉS #1

Lebœuf, Gaétan
    BOUDIN D'AIR #12

Lemieux, Jean
    LA COUSINE DES ÉTATS #20
    LE TRÉSOR DE BRION #25

Marineau, Michèle
    LA ROUTE DE CHLIFA #16
    Série Cassiopée
    CASSIOPÉE OU L'ÉTÉ POLONAIS #9
    L'ÉTÉ DES BALEINES #10

OPÉRATION BEURRE DE PINOTTES #2
VINCENT ET MOI #11
LE RETOUR DES AVENTURIERS DU
    TIMBRE PERDU #15

LA SÉRIE ANNE
(NOUVELLE ÉDITION FORMAT POCHE)
Montgomery, Lucy Maud
    ANNE...LA MAISON AUX PIGNONS VERTS
    ANNE D'AVONLEA
    ANNE QUITTE SON ÎLE
    ANNE AU DOMAINE DES PEUPLIERS
    ANNE DANS SA MAISON DE RÊVE
    ANNE D'INGLESIDE
    LA VALLÉE ARC-EN-CIEL
    ANNE... RILLA D'INGLESIDE
    CHRONIQUES D'AVONLEA 1

LE DICTIONNAIRE VISUEL JUNIOR
    UNILINGUE FRANÇAIS
    UNILINGUE ANGLAIS
    BILINGUE
    Archambault, Ariane
    Corbeil, Jean-Claude

COLLECTION EXPLORATIONS
    Dirigée par Dominique Demers
        DU PETIT POUCET AU DERNIER DES
            RAISINS
            Introduction à la littérature jeunesse
        LA BIBLIOTHÈQUE DES JEUNES
            Des trésors pour les 0 à 9 ans
        LA BIBLIOTHÈQUE DES ENFANTS
            Des trésors pour les 9 ans et plus

COLLECTION KID/QUID?
Dirigée par Christiane Duchesne
CYRUS L'ENCYCLOPÉDIE QUI
RACONTE Tome 1 à 4